Koïchi Shimizu

LE TOYOTISME

ÉDITIONS LA DÉCOUVERTE
9 *bis*, rue Abel-Hovelacque
75013 Paris
1999

Catalogage Électre-Bibliographie

SHIMIZU, Koïchi
Le toyotisme — Paris : La Découverte, 1999. — (Repères ; 254)
ISBN 2-7071-2921-6

Rameau :	Toyota Motor Company Limited juste-à-temps (système) automobiles : industrie et commerce : Japon
Dewey :	338.3 : Économie de la production. Économie des industries du secteur secondaire
Public concerné :	Tout public

Si vous désirez être tenu régulièrement informé de nos parutions, il vous suffit d'envoyer vos nom et adresse aux Éditions La Découverte, 9 *bis*, rue Abel-Hovelacque, 75013 Paris. Vous recevrez gratuitement notre bulletin trimestriel **À la Découverte**.

Introduction

Ce texte propose une analyse du « toyotisme », entendu comme l'ensemble des caractéristiques de la gestion de Toyota, idées principales et pratiques de cette firme, c'est-à-dire le modèle industriel toyotien. Toyota est le troisième constructeur automobile mondial après General Motors et Ford. C'est la firme la plus performante du Japon ; elle n'a pas connu de déficit depuis 1950. Le système de production de Toyota (SPT) qui lui assure une compétitivité et un rapport prix/qualité élevés constitue le modèle de référence de la « production au plus juste » que des auteurs tels Womack *et al.* [1992]* considèrent comme le modèle du XXIe siècle.

Pourtant, le modèle industriel toyotien est-il vraiment expliqué dans son ensemble ? Même la bible du SPT, écrite par le fondateur de ce système Taïichi Ohno [1990], n'explique que sa technologie organisationnelle tels le « juste-à-temps » et l'« autonomisation », mais demeure silencieux sur la conception des produits, la gestion du prix de revient et celle des ressources humaines, sans parler de la distribution. Sans ces composantes, la production juste-à-temps ne peut se mettre en œuvre avec la même efficacité que chez Toyota. Ce livre propose aux lecteurs d'analyser le SPT en tant que modèle industriel, car il explique ses composantes, leur rôle ainsi que les principes de « gouvernement » (*governance modes*) qui lui donnent cohérence et dynamisme. Il ne vise donc pas à prôner

* Les références entre crochets renvoient à la bibliographie en fin d'ouvrage.

le toyotisme ni à le critiquer, mais à en fournir une explication d'ensemble.

Cet ouvrage ne prétend pas que le toyotisme représente la quintessence de la « gestion japonaise » qui était la vedette du monde des affaires et des chercheurs pendant les années quatre-vingt. Le « modèle japonais » est d'ailleurs difficile à cerner. En effet, un environnement socio-économique identique ne donne pas le même modèle industriel pour les firmes. Des travaux du *GERPISA - réseau international* [Freyssenet, Mair, Shimizu et Volpato, 1998 ; Boyer et Freyssenet, 1999] mettent en lumière la parenté des stratégies de profit entre des firmes appartenant à des pays différents et, symétriquement, la diversité dans le comportement des firmes d'un même pays. Ce livre insiste donc sur la particularité du toyotisme par rapport à la gestion dite « japonaise » stéréotypée, tout en permettant cependant aux lecteurs de réfléchir sur ce qu'est le « management japonais ».

Ainsi, l'ouvrage part de la naissance de la firme pour se conclure par une analyse prospective des transformations de Toyota. Nous verrons comment, au cours des années cinquante, se créent deux composantes essentielles du toyotisme : confiance réciproque entre la direction et le syndicat, et le SPT (chapitre I). Cela, bien entendu, sans réduire le toyotisme à ces deux composantes. Car le noyau dur du toyotisme réside dans sa gestion du prix de revient (chapitre II) qui gouverne son organisation de la production et du travail (chapitre III) et son organisation industrielle (chapitre IV). Ces deux composantes n'en demeurent pas moins importantes pour comprendre le toyotisme. Mais ce mode de gestion a beaucoup changé, tout particulièrement dans les années quatre-vingt-dix, au point de dessiner les lignes d'un nouveau toyotisme (chapitre V). Nous pourrons alors esquisser les voies d'évolution de la firme au début du XXIe siècle*.

---

* Je remercie Robert Boyer et Jacqueline Jean pour l'aide qu'ils m'ont apportée dans la mise au point de cet ouvrage.

I / Le toyotisme : un compromis salarial, des dispositifs organisationnels

Avant 1950, le toyotisme au sens propre n'existait pas. Kiichiro Toyoda, fondateur de Toyota, exerçait déjà une gestion de la production par petits lots, selon l'idée du juste-à-temps. Mais à l'époque, il rêvait de la production de masse fordienne, tout en construisant des camions selon un système de production « semi-fordien ». Le toyotisme naît après le grand conflit de 1950. Toyota construit un nouveau système de production en posant les deux principes organisationnels que sont la « production juste à temps » et l'« autonomisation ». Tous les éléments constitutifs de ce système sont réunis vers 1970, époque à laquelle Toyota lui donne le nom « système de production de Toyota » (SPT). Mais ces innovations organisationnelles ne peuvent être séparées de leurs conditions sociales d'émergence, à savoir la construction d'une confiance réciproque à partir d'une situation de conflit aigu, qui aurait pu marquer la faillite de l'entreprise. Aussi est-il important de commencer cette histoire du « système de production Toyota » par la description des luttes ouvrières des années cinquante.

De la lutte à la construction de la confiance réciproque

Lors de la construction de sa première usine Koromo en 1938, Toyota n'a pu installer le système de production fordien, vu le petit volume de production (2 000 camions par mois d'après le plan de construction), et compte tenu des contraintes

financières. Les grandes lignes de la construction de l'usine sont alors les suivantes :
— les machines-outils devront être spécialisées mais capables de s'ajuster à n'importe quel modèle même si elles sont onéreuses, pour qu'on puisse les utiliser longtemps ;
— bien qu'il soit nécessaire de standardiser les tâches pour la production de masse, il n'est pas économique de parcelliser les tâches à l'américaine, il faut donc créer des procédés simplifiés de fabrication ;
— pour le transport, bien qu'il soit idéal d'installer le système de convoyeurs dans tous les ateliers, il le sera seulement dans les ateliers de peinture, de montage et de fonderie, en raison du manque de ressources financières.

Si nous qualifions ce système de production de « semi-fordien », c'est parce que Toyota n'a pu installer le système fordien que partiellement sous les contraintes de financement et de marché. De plus, la production ne semble pas bien organisée, car la production par tête annuelle n'est que de 1,45 véhicule en 1949. La rationalisation du système était déjà nécessaire avant la crise de Toyota. Mais ce système était suffisant à l'époque vu l'étroitesse du marché et l'entreprise n'avait enregistré aucun déficit depuis 1939. Mais, à l'automne 1949, survint une crise financière, malgré la croissance de la production.

La crise financière 1949-1950, le grand conflit social de 1950

Provoquant une profonde déflation, la politique d'austérité du banquier Joseph Dodge (délégué du gouvernement américain chargé de remettre en état l'économie japonaise) coupe le circuit du financement des entreprises qui étaient en train de se rétablir : 11 000 entreprises environ font faillite, et 510 000 salariés sont mis au chômage. Ayant enregistré un déficit de 35 millions de yens en novembre 1949 et ne pouvant pas récupérer les prix des ventes à crédit (environ 250 millions de yens, soit 3 % du chiffre d'affaires annuel de l'époque), Toyota enregistre une perte nette de 76,5 millions de yens entre décembre 1949 et mars 1950.

Voyant les autres constructeurs licencier massivement (environ mille trois cents salariés chez Isuzu et deux mille chez

Nissan), le syndicat de Toyota demande au patronat de ne renvoyer aucun salarié en contrepartie d'une baisse des salaires. Après négociation, le patronat retiendra cette proposition et une convention collective sera signée le 24 décembre 1949 qui contient l'engagement du patronat de ne pas licencier sans accord du syndicat. Par inattention, cependant, cette convention n'a pas été signée par le président-directeur général, Kiichiro Toyoda. Durant cette période difficile, Toyota reçoit une aide financière d'environ 200 millions de yens en décembre 1949, puis 400 millions de yens au début de 1950, aides que la filiale de la Banque du Japon à Nagoya a demandées au groupe bancaire. Mais tout cela, à condition que Toyota se sépare de sa division chargée des ventes (fondation de Toyota Motor Sales Co. en avril 1950), renvoie les employés excédentaires, etc. Toyota pourra ainsi éviter la catastrophe, mais, au début de 1950, elle ne sait toujours pas comment payer les salaires. De plus, Nippondenso (Denso d'aujourd'hui) du groupe, qui vient de se séparer de Toyota en décembre 1949, annonce en mars le renvoi de 473 salariés. Considérant ainsi le licenciement massif comme inévitable, le syndicat engage un conflit le 7 avril et des négociations collectives commencent à partir du 11 avril. La revendication du syndicat est la garantie de l'emploi : le syndicat exige du patronat qu'il tienne la promesse faite le 24 décembre 1949.

Or, le 22 avril, lors de la huitième négociation, sous la pression du groupe bancaire, le patronat propose un plan de redressement qui comporte le départ volontaire de 1 600 salariés et la fermeture de deux usines dans la région de Kanto. D'où des grèves et des négociations collectives intenses et violentes jusqu'au 3 juin. Entre-temps, le syndicat a recours à la justice pour confirmer légalement la validité de la convention collective du 24 décembre 1949, mais la justice ne la reconnaît pas du fait que le président-directeur général ne l'a pas signée.

Avec le temps, les salariés qui soutiennent le plan de redressement patronal sont de plus en plus nombreux. Depuis début juin, des salariés commencent à accepter avec résignation de quitter leur emploi. Le 6 juin, lorsque le patronat demande au syndicat de résoudre le conflit le plus tôt possible, les demandes de départ volontaire se multiplient. Le 8 juin,

1 700 salariés acceptent leur départ. C'est ainsi que le syndicat mettra fin au conflit le 10 juin. Le résultat est le départ de 2 146 salariés, du président-directeur général Kiichiro Toyoda et de quelques administrateurs qui ont pris avec lui la responsabilité de ce conflit : il reste 5 994 salariés.

À cause de la contraction du marché et de ce grand conflit, Toyota enregistre une perte nette de 137 millions de yens. La guerre de Corée, qui éclate le 26 juin, permet à Toyota de se redresser financièrement, grâce aux commandes militaires américaines. Mais, le syndicat suscite encore des grèves et se politise : en 1951, pour la hausse des salaires et contre le traité de San Francisco ; en 1952, pour la hausse des salaires et contre la loi anticasseurs ; en 1953, pour la hausse des salaires et contre le patronat qui a refusé la négociation collective. À l'époque, le syndicat de Toyota qui regroupe tous les ouvriers et les cadres moyens (*kachô*) était une des branches du syndicat automobile adhérant à *Sohyo* (Conseil général des syndicats du Japon, créé en juillet 1952), et considéré comme « le syndicat le plus combatif ». Or, ce syndicalisme combatif va fléchir, et la politique syndicale se réorienter en 1954 vers un syndicalisme plus conciliant.

Comment la direction apprivoisa le syndicat

Le conflit de 1950 pèse lourdement sur les salariés ainsi que sur la direction. Des salariés se demandent peu à peu s'ils peuvent poursuivre le combat jusqu'à la faillite de leur firme, bien qu'au cœur du conflit, il leur importe peu qu'elle survive ou non. Les administrateurs qui ont vécu le départ du fondateur reconnaissent l'importance de la « confiance réciproque » entre le patronat et le syndicat. Pour eux, la rupture de l'accord du 24 décembre 1949 était une affaire amère qui a provoqué la méfiance des salariés envers la direction. Qui plus est, le syndicat en se radicalisant constitue un casse-tête pour la direction. Pour rétablir la confiance réciproque, la direction s'attache à se concilier les syndiqués.

Après la défaite marquant le grand conflit de 1950, les militants « gauchistes » (des militants de gauche plus radicaux que les communistes) demeurent donc syndiqués certes, mais écartés du comité exécutif. Ce n'était pas le cas chez Nissan où le syndicat de droite, formé lors du grand conflit de 1953 pour mener la politique de consensus avec le patronat, a chassé les militants « gauchistes » du syndicat, en recourant souvent à la violence.

Après le renversement de la direction syndicale et appréciant le rôle des diplômés de l'école de formation, la division de gestion du personnel s'engage dans l'organisation du personnel selon huit corps (*Ho-hatchi-kaï*), en fonction de leur scolarité et de la forme d'embauche :

— corps des diplômés de l'école de formation de Toyota, *Ho-yo-kaï*, en 1956 ;

— corps des diplômés d'études secondaires embauchés au sortir de leur scolarité, *Ho-seï-kaï*, en 1958 ;

— corps des diplômés d'Université à cycle long (4 ans), *Ho-sin-kaï*, en 1958 ;

— corps des salariés ayant une expérience professionnelle avant d'entrer à Toyota, *Ho-ryu-kaï*, en 1960 ;

— corps des salariés qui ont quitté la Force d'autodéfense, *Ho-eï-kaï*, en 1962 ;

— corps des diplômés de l'école de dépannage de Toyota, *Seï-ho-kaï*, en 1965 ;

— corps des diplômés d'études secondaires à cycle long (5 ans), *Ho-sen-kaï*, en 1968 ;

— corps des diplômés d'Université à cycle court (2 ans), *Ho-ki-kaï*, en 1970.

L'adhésion à un corps étant obligatoire pour tous les salariés, y compris les administrateurs, ces corps joueront un rôle de contrôle et d'intégration des salariés dans une collectivité de travail solide. La stabilisation des relations industrielles prendra une dizaine d'années à la division de gestion du personnel au bout desquelles sera signée la *Déclaration commune du patronat et du syndicat*.

La « Déclaration commune » de 1962 : un pacte fondateur

La tendance du syndicat à la conciliation avec la direction est confirmée dans la *Déclaration commune du patronat et du syndicat* de 1962. L'essentiel se trouve dans les trois idées suivantes :

— la direction et le syndicat essayent ensemble de développer l'industrie automobile et, par là, l'économie japonaise ;
— le rapport patronat-syndicat doit être fondé sur une confiance réciproque ;
— la direction essaie d'améliorer les conditions de travail en reconnaissant le fait que les ressources humaines sont à l'origine de la prospérité de l'entreprise, tandis que le syndicat coopère volontairement avec la direction en admettant la nécessité d'élever la productivité de l'entreprise.

L'entreprise est donc considérée comme une communauté de gestionnaires et de salariés, et les deux parties ont l'intention de coopérer pour l'essor de leur entreprise. Ce consensus peut être schématisé ainsi : pour obtenir des gains de productivité garantissant le profit de l'entreprise et l'amélioration du niveau de vie des salariés, la direction et le syndicat doivent coopérer dans une confiance réciproque, sans cependant remettre en cause le pouvoir de décision de la direction. Ce « compromis toyotien » fondé sur des relations industrielles coopératives a le même objectif que le « compromis fordien » (Boyer [1986]) fondé sur des relations industrielles antagonistes : partage des gains de productivité (voir chapitre III pour plus de détail).

Comment évaluer un tel syndicalisme ? L'appellation « syndicat d'entreprise » ne veut rien dire car on peut observer la diversité des comportements des syndicats d'entreprise. À la différence du syndicat de Nissan, celui de Toyota ne fait pas de « négociations collectives » au sens propre sur les salaires et la production. Depuis 1954, les négociations collectives sont remplacées par des « conférences au sommet » au cours desquelles direction et syndicat échangent des informations (politiques patronales, plaintes et revendications des syndiqués) et leurs idées, tout en cherchant un accord (voir figure). De plus, la plupart des membres du comité exécutif n'osent pas s'opposer de front à la direction, car ils quittent en général le comité quatre à six ans après leur nomination pour être réintégrés dans la hiérarchie de Toyota, obtenant même une promotion. S'il en est ainsi, le syndicat n'est-il qu'un appareil secondaire qui légitime les décisions de la direction tant sur la gestion du personnel que sur d'autres sujets ? N'est-il qu'un appareil à travers lequel la division de gestion du personnel contrôle les syndiqués ? On pourrait le penser, mais le syndicat joue quand même son rôle en tant que représentant des salariés.

CONFÉRENCES PATRONAT-SYNDICAT

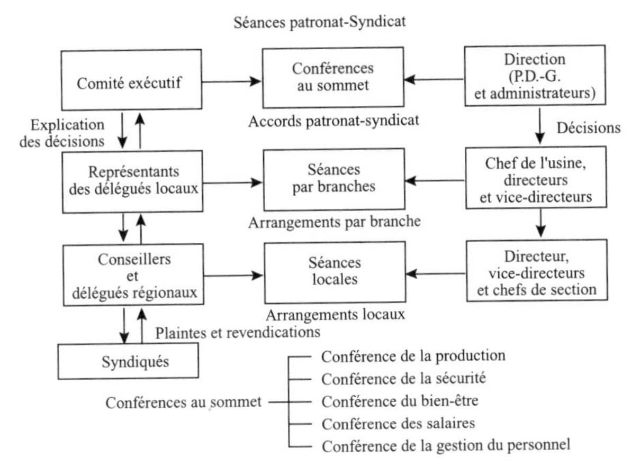

Lors des sessions des conférences, le syndicat demande à la direction l'amélioration des conditions de travail et la hausse des salaires en soulignant la contribution des salariés. La direction explique aussi sa politique au syndicat. S'il y a des objections du syndicat, la direction ne l'impose pas de force. En effet, la direction ne peut, elle non plus, rompre la *Déclaration commune*, qu'elle-même a imposée au syndicat et qui donne de l'importance à l'accord avec le syndicat pour mener à bien sa politique. C'est aussi le cas du syndicat, car il lui est nécessaire d'obtenir le consentement des syndiqués pour ses décisions en leur fournissant les informations pertinentes. En fait, la *Déclaration* encadre le comportement du syndicat ainsi que celui de la direction.

Par conséquent, le syndicat de Toyota conserve un « pouvoir de négociation » fondé sur la *Déclaration commune*. De plus, les informations ainsi échangées aux « conférences au sommet » sont partagées avec les salariés, car elles sont transmises aux syndiqués lors de la réunion locale dans leur atelier et bureau.

Rétablissement du pouvoir de direction

Du côté de la direction, Taïzo Ishida, qui vient de redresser Toyoda Automatic Loom Works (TALW), maison mère de Toyota, et d'y résoudre un conflit du travail, est nommé président-directeur général (1950-1962), puis président honoraire (1962-1971). C'est sous sa présidence que l'entreprise Toyota se rétablit et se modernise. Ses idées, l'« ishidaïsme » selon Yoshinobu Sato [1988], héritées certes de celles de Kiichiro Toyoda et de Sakichi Toyoda (père de Kiichiro et fondateur de TALW), tirent cependant les leçons de la crise financière et du grand conflit, et peuvent se résumer ainsi.

— L'autodéfense de la « maison », par la recherche et le développement de techniques autonomes pour fabriquer des voitures nationales, tout en investissant prioritairement les profits dans des équipements sans recourir à l'endettement, conformément à une *gestion sans dette* qui sera réalisée au début des années soixante-dix.

— Une sorte de « régionalisme », qui rassemble toutes les unités de production dans la ville de Toyota, autour desquelles sont rassemblés les fournisseurs et sous-traitants principaux, assurant une base géographique du SPT, c'est-à-dire l'équivalent d'un « district industriel ».

— Une *mobilisation du savoir-faire des salariés* en les faisant participer au *kaïzen*, c'est-à-dire l'amélioration de la qualité, de la productivité, de la sécurité et du prix de revient.

— Un attachement à l'« esprit des paysans », qui n'ont pas peur des travaux ingrats pour gagner et épargner ne fût-ce que quelques sous tout en réduisant le gaspillage, ce qui se retrouve dans la *gestion du prix de revient*. Pour cette raison, le siège de Toyota reste dans la petite ville de Toyota dans la région de Tokaï.

— Un respect des relations paternalistes à l'égard des salariés et des fournisseurs : Toyota les traite comme des collaborateurs d'une manière égalitaire, mais aussi sévère. Ce principe se retrouve dans la gestion du personnel et des fournisseurs, associé à un *partage de gains*.

Si le toyotisme fut connu ultérieurement pour sa gestion sans dette et ses énormes réserves internes, pour sa gestion du prix de revient qui vise à réduire même d'un sou le coût d'une pièce, pour son réseau de fournisseurs organisé autour de ses usines de montage, pour sa gestion du personnel qui intègre tous les salariés dans l'orbite de Toyota, tout cela a été mis en place sous la présidence de Taïzo Ishida.

Bien entendu, ce n'est pas seulement ce dernier qui a contribué à construire le toyotisme. Taïichi Ohno a présidé la construction du SPT. Shotaro Kamiya, fondateur et président-directeur général de Toyota Motor Sales (TMS), a organisé le réseau de ventes regroupant des capitaux locaux et indépendants. D'autres personnes ont aussi contribué à la construction du toyotisme. Donc, il vaut mieux penser que leurs efforts se reflètent dans les grandes lignes ouvertes par Taïzo Ishida. La confiance réciproque entre patronat et syndicat et les grandes lignes de gestion consolidées après le grand conflit sont les conditions sociales centrales qui permettent la construction puis l'évolution du SPT.

Le système de production Toyota : une construction progressive

La rationalisation du système productif était déjà recherchée avant le grand conflit. Pour lancer, à partir d'une petite usine semi-fordienne, une production de voitures aussi compétitive en productivité et en prix/qualité que les Américains, la rationalisation du système de production était inévitable. Lorsque Taïichi Ohno a été nommé chef de l'atelier de mécanique en août 1949, il a pris en charge la rationalisation de son atelier. Mais la modernisation du système de production démarre de fait après les deux missions envoyées aux États-Unis après le grand conflit : Eïji Toyoda, futur président-directeur général, et Shoïchi Saïto, patron de Taïichi Ohno. Ils ont étudié toutes les techniques modernes, la logistique, la gestion du personnel et même la convention collective de Ford. Après leur retour, Toyota établit un plan quinquennal de modernisation des équipements, et investit 4,6 milliards de yens, en majorité empruntés. Les deux missions contribuent surtout à la rationalisation du transport des pièces, et même à l'installation du « système de suggestions et d'idées » qu'ils ont appris de Ford. Quant à la rationalisation de la gestion de la production, celle-ci est confiée à Taïchi Ohno qui organise la production suivant deux principes : le juste-à-temps et l'autonomisation.

Autonomisation et lignes d'Ohno

L'« autonomisation » des équipements est une condition préalable pour organiser la production « juste à temps ». Elle consiste à équiper la machine d'un dispositif au moyen duquel la machine s'arrête immédiatement et seule dès qu'il se produit une anomalie dans son fonctionnement.

Cette idée remonte à Sakichi Toyoda, bien que le terme soit créé au début des années soixante-dix. Son objectif est qu'un ouvrier ou une ouvrière puisse surveiller et conduire à la fois plusieurs machines afin d'augmenter la productivité en assurant la qualité des produits. Sakichi Toyoda l'a conçue pour les machines à tisser automatiques qu'il a inventées. Pourtant, l'autonomisation n'était pas adoptée par Toyota à l'époque. En se demandant alors pourquoi, chez Toyota, une personne ne conduit qu'une seule machine, Taïchi Ohno essaie vers 1947 de faire opérer un ouvrier sur deux ou trois machines-outils à la fois afin d'augmenter la productivité. Pour ce faire, il semble que lui soient venues l'idée de l'autonomisation des machines-outils, et l'invention des dispositifs nécessaires. Car, pendant qu'un ouvrier travaille sur une des deux machines-outils, l'autre doit automatiquement fonctionner et s'arrêter dès qu'elle a fini le façonnage. Pour cela, la machine-outil est équipée d'un dispositif, *limit switch*, qui l'arrête quand le nombre de pièces ouvrées atteint un seuil déterminé. Pour la maintenance aussi, l'aiguisage des outils est centralisé dans la division de machines-outils pour libérer les ouvriers d'une telle tâche. Partant de là, se développe le concept de la ligne de fabrication et des mesures telles que *poka yoke*, c'est-à-dire le dispositif qui, par exemple, immobilise la machine-outil quand une pièce à œuvrer n'est pas correctement posée à cause de la distraction (*poka*) d'un opérateur.

L'idée de l'autonomisation sera approfondie ensuite pour empêcher la production excédentaire et la production des pièces défectueuses. Elle couvre par la suite le travail des opérateurs : ils doivent stopper la ligne quand ils ont un problème dans leur travail pour ne pas livrer de pièces défectueuses au poste suivant ; pour ne pas faire de mauvaise opération, ils doivent suivre une tâche standard (introduite en 1953) fixée par leur agent d'encadrement. Grâce à l'autonomisation des équipements, il suffit pour les opérateurs d'intervenir quand se produit une anomalie. C'est aussi le cas pour les agents d'encadrement. D'où la « gestion par les yeux » ou la « gestion de l'anomalie » [Monden, 1983] pour laquelle des dispositifs ont été inventés pour visualiser l'anomalie : *andon* (un tableau de relais des signaux ou un signal lumineux avec ronfleur, etc.).

Il est cependant à retenir que l'autonomisation a pour objectif l'économie de main-d'œuvre pour augmenter la productivité. Ce qui aiguillera le développement du concept de la ligne de fabrication. Partant de l'autonomisation des machines-outils, cette idée est donc arrivée à couvrir la ligne de fabrication tout entière. Le fondement d'une telle conception de la ligne d'Ohno se trouve dans la linéarisation des procédés de fabrication suivant l'ordre de transformation et, par là, la réalisation du *flux tendu* sur la ligne de fabrication. Comme le note Ohno [1978], créer un flux tendu de production ou fluidifier la production constitue la condition préalable pour que la production juste-à-temps se déroule. Mais on peut considérer une telle ligne comme une application de la ligne de montage fordienne à l'atelier d'usinage. De ce point de vue, ce qu'a fait Taïchi Ohno peut être considéré comme une généralisation de l'idée de Henry Ford I [Boyer et Orléan, 1991]. Le principe tayloriste-fordien de l'organisation du travail, à savoir décomposer et réunir, est certes à l'œuvre même dans l'« ohnisme » [Coriat, 1991]. Mais son originalité se trouve dans le fait qu'il l'a fait par l'autonomisation et l'a appliqué à tous les segments de la fabrication.

Production juste-à-temps

L'idée de juste-à-temps (JAT), conçue par Kiichiro Toyoda, implique qu'il suffit d'acheter exactement la quantité de pièces dont on a besoin, et que les fournisseurs doivent l'apporter juste au moment où on en a besoin. Si cette idée était réalisée, l'entreprise pourrait produire sans beaucoup de fonds de roulement. Il l'a conçue aux alentours de 1935 pour contenir les coûts de production puisque Toyota était pauvre. Ne produire que la quantité nécessaire, n'acheter que les pièces nécessaires, et vendre aux concessionnaires au moment où Toyota leur livre des véhicules, voilà la politique de Kiichiro Toyoda pour faire tourner sa petite entreprise. L'idée de la production sans stock, organisée depuis l'amont jusqu'à l'aval, y était présente, mais cette idée n'était pas systématiquement appliquée à l'époque.

Cette idée fut redécouverte et concrétisée par Taïichi Ohno. Son originalité est de créer le flux tendu de production entre les segments de production. Pour y arriver, il adopte en 1949 le système du supermarché pour l'approvisionnement : le client (poste de travail en aval) va chercher des marchandises (pièces) au rayon (poste de travail en amont), et il suffit pour le rayon de remplacer (produire) les marchandises vendues (pièces retirées). Des *kanban* (fiches de papier qui indiquent le nombre de pièces à produire ou à livrer) sont introduits en 1953 pour gérer ce système, et le JAT deviendra le principe de gestion de la production, avec pour objectif de diminuer le stock entre les lignes de fabrication et entre les ateliers, et de les synchroniser au rythme du montage final (voir encadré).

Rôle du kanban

Avant 1953, l'ordre de l'approvisionnement était inversé, l'atelier d'usinage et l'atelier de montage étaient synchronisés, ce qui n'empêchait cependant pas l'apparition d'un stock des pièces ouvrées. Taïichi Ohno surveillait lui-même l'atelier d'usinage pour saisir son état, avec la préoccupation de créer la production à flux tendu par la chasse aux stocks qui signifient une stagnation de la production. Le principe de prélèvement par l'aval n'était pas suffisant pour cela. De fait, la production excédentaire et donc la formation de stocks n'ont pas disparu dans l'atelier. Le *kanban* est ainsi adopté pour empêcher la production excédentaire, à savoir pour que le poste de travail en amont ne produise que la quantité de pièces qu'indique le « *kanban* d'instruction de la production ». De plus, comme une quantité déterminée de pièces prélevées par l'aval est munie d'un « *kanban* de prélèvement », on peut gérer par les yeux le flux des pièces et l'état des stocks. C'est ainsi que le *kanban*

Le développement du juste-à-temps

Mettre en place le JAT n'était pas facile, puisqu'il y avait des résistances de la part d'agents d'encadrement. Comme l'avoue lui-même Ohno [1978] : Taïichi Ohno fit progresser le JAT au fur et à mesure que son autorité grandissait.

— En 1948 ou 1949, quand il était chef de l'atelier d'usinage, l'ordre de l'approvisionnement y fut inversé, c'est-à-dire que c'est l'aval qui allait chercher les pièces nécessaires à l'amont (principe de prélèvement par l'aval).

— Après le grand conflit de 1950, dans la deuxième division de fabrication dont il était directeur, l'atelier d'usinage et l'atelier de montage furent synchronisés par le principe de prélèvement par l'aval.

— En 1953, la méthode du *kanban* fut appliquée à l'atelier d'usinage, puis à l'atelier de montage dans la deuxième division de fabrication.

— En 1959, lorsque Taïichi Ohno fut nommé directeur de la nouvelle usine Motomachi, il appliqua la méthode du *kanban* aux ateliers de tôlerie et d'emboutissage, de peinture et de montage.

— En 1962, année où il fut nommé directeur de l'usine Honsha (siège), la méthode du *kanban* fut appliquée même aux ateliers de fonderie, de forgeage, etc., si bien que tous les ateliers de Toyota furent synchronisés par la méthode du *kanban*.

— En 1965, le *kanban* commença à s'appliquer aux fournisseurs externes, de sorte que le système de production fût géré par le principe du JAT, bien que les fournisseurs de premier rang qui approvisionnent Toyota aient des stocks importants.

— En 1968, une fiche (*hari-gami*) collée sur la carrosserie, et qui est équivalent du *kanban*, fut introduite dans l'atelier de montage afin d'indiquer aux opérateurs la spécification technique de la voiture à monter à cause de la variété croissante des versions d'un modèle.

---

sert d'outil de gestion de la production et permet de trouver un segment à améliorer quand il y a une stagnation ou une perturbation dans la circulation des *kanban*. Donc, le principal rôle du *kanban* est de gérer la production (voir figure).

Comme le note Ohno [1978], le système du *kanban* est un système d'information pour la gestion de la production, qui est « plus léger que le système classique » taylorien centralisé. En fait, tous les segments de fabrication sont gérés localement par la circulation des *kanban*, sans cependant perdre l'harmonie et la cohérence de l'ensemble. En ce sens, le système du *kanban* ressemble à l'économie de marché où la monnaie joue le même rôle que le *kanban*, en faisant circuler des biens du producteur au consommateur. Cela, bien entendu, mis à part le

FONCTIONNEMENT DU *KANBAN*

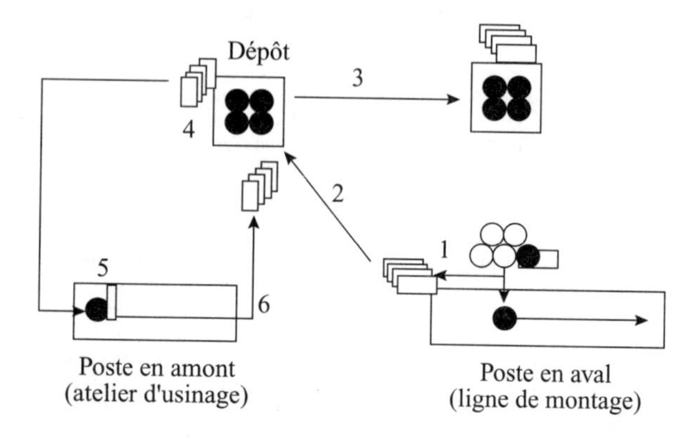

Source : MONDEN [1986].

fait que l'économie de marché a une redondance d'information (inflation et thésaurisation), alors que le système du *kanban* l'empêche en principe. En revanche, le système d'information classique taylorien ressemble à l'économie planifiée du centre (celui des pays socialistes de type soviétique) où le centre planifie minutieusement la production des biens, sans cependant jamais arriver à gérer correctement la production. Quelle que soit la comparaison, il est sûr que le système du *kanban* est plus flexible et plus économique que le système taylorien dans l'ajustement de la production, ne serait-ce que parce qu'il n'est pas nécessaire de recalculer la production de tous les segments de production, car il suffit de donner un ordre de production à la tête de la ligne de montage pour mettre en œuvre tout le système productif. Ne considérer le *kanban* que comme outil de gestion des stocks n'est donc pas exact. Le *kanban* fournit l'information susceptible d'organiser sans redondance la production.

Les trois exigences du juste-à-temps

Pour que ce système du *kanban* soit mis en œuvre sans friction, plusieurs conditions doivent être remplies préalablement.

• *Autonomisation des lignes de fabrication.* — Les postes de travail en amont doivent fournir les pièces ou les composants sans défaut, car les postes en aval n'en prélèvent que la quantité nécessaire au moment nécessaire. Par conséquent, un contrôle de qualité précis, sur le tas, est indispensable. Pour ce faire, l'autonomisation des lignes de fabrication constitue un moyen, et la tâche standard un autre. Pour les équipements autonomisés, la maintenance préventive est nécessaire pour assurer leur fiabilité. Pour les opérateurs, travailler correctement suivant une tâche standard est nécessaire pour assurer la qualité. La même condition doit être appliquée aux fournisseurs quand le JAT leur est appliqué.

• *Nivellement de la production.* — La production doit être régulière de mois en mois. Si elle fluctue d'une manière importante, soit les lignes de fabrication ne peuvent y répondre, soit, pour l'éviter, elles doivent avoir ou le stock suffisant ou la surcapacité en équipements et main-d'œuvre. Le premier perturberait la production, et le second pèserait lourdement sur la rentabilité. Le nivellement de la production est ainsi effectué chez Toyota. Le maintien d'un rythme moyen constant du travail a plusieurs effets favorables : les ateliers peuvent produire avec un effectif stable et sans surcapacité ; il permet la contraction des stocks, car la production se déroule régulièrement ; et les fournisseurs peuvent eux aussi produire avec une grande régularité.

• *La production mixte.* — Au fur et à mesure que le nombre des modèles augmente, le nivellement de la production conduit au montage des modèles sur une même ligne (production mixte). Cela est aussi demandé pour stabiliser et rentabiliser la production de chaque ligne de montage. En fait, le volume de production commandé varie d'un modèle à l'autre. Au lieu de monter un modèle sur une ligne de montage spécialisée, Toyota monte plusieurs modèles sur une même ligne. De plus, le montage d'un modèle est de temps en temps transféré d'une ligne surchargée à une autre moins chargée. C'est ce qu'on appelle la *rotation de produits*, à l'instar de la rotation des tâches.

La production mixte exige cependant une série de dispositifs techniques. L'approvisionnement et le transport des pièces se font en petits lots pour n'avoir pas trop de stock. L'idéal est un approvisionnement dans l'ordre des voitures à monter. Le changement rapide des matrices et des outils doit se faire dans les ateliers de tôlerie, d'emboutissage, d'usinage, etc. Dans l'atelier de carrosserie, les robots ou les machines automatiques doivent être flexibles pour souder et monter des caisses différentes. Dans l'atelier de montage final, la ligne doit être organisée afin de niveler la charge des opérateurs ; les versions d'un modèle ou des modèles ont un nombre de pièces différent. Par ailleurs, les opérateurs doivent choisir correctement les pièces à monter sur la voiture. Pour cela, est utilisée la fiche *hari-gami* qui leur indique la spécification technique de la voiture. C'est aussi le cas des robots. Par exemple, un robot doit faire un mouvement différent quand il pose un siège sur une caisse à quatre portes ou à trois portes. Pour contrôler les robots, un système informatique doit être installé qui ajuste leur programme selon la caisse à monter. Cela est nécessaire surtout parce que l'ordre de fabrication des modèles ou des versions change dans l'atelier de peinture. Enfin, une certaine compatibilité doit être réalisée entre les usines pour permettre la rotation des produits. Si les problèmes techniques sont résolus, la production mixte et la rotation des produits optimiseront la production des lignes de montage.

Les conditions sociales du SPT : acceptation par les salariés et formation de l'encadrement

La construction du SPT ne s'est pas faite sans frictions sociales. La stabilisation des relations industrielles a servi certes à y impliquer les salariés. Mais des résistances de la part des opérateurs et des agents d'encadrement se sont exprimées.

La ligne d'Ohno a détruit l'ancienne qualification des ouvriers-artisans. Avant que la ligne d'Ohno fût introduite, les ouvriers étaient fiers de leur métier qui demandait habileté et expérience, ils avaient le sentiment de maîtriser leur machine-outil et leur métier. Mais la ligne d'Ohno décompose et parcellise le processus de fabrication en opérations élémentaires, de sorte qu'un ouvrier en exécute plusieurs, suivant la tâche standard et dans le temps alloué. De plus, le fait que l'ouvrier s'occupe de plusieurs machines-outils signifie l'intensification du travail, même si le travail s'en trouve simplifié. La ligne d'Ohno réduit les temps d'attente et de transfert en contractant les stocks, et les activités de *kaïzen* conduisent à diminuer le nombre des opérateurs et le temps standard nécessaire à la fabrication d'une pièce. La ligne vise ainsi à établir une gestion du temps de travail, ou à réduire une « porosité » dans le temps de travail [Aglietta, 1976], car la gestion du temps de travail était quasi inexistante avant 1950. En ce sens, le travail toyotien est considéré en 1953 comme une gestion taylorienne du travail, cependant d'une manière originale et non technocratique (cf. chapitre IV).

Pour cette raison surgira une opposition des ouvriers concernés. Lors du grand conflit de 1950, une partie des syndiqués revendique la suppression de la ligne d'Ohno. Cette position ne s'imposera cependant pas dans le syndicat. Car il n'y a alors que peu de salariés concernés. De plus, après le grand conflit, la plupart des ouvriers acceptent, semble-t-il, cette façon de travailler. D'une part, en raison de la pauvreté qui prévaut à l'époque par résignation, ils n'ont pas le temps de résister au changement du système de production. D'autre part, certains trouvent même le travail plus facile.

Mais cela ne se réalise pas sans conflit entre Taïchi Ohno et les agents d'encadrement (chefs d'équipe et de sous-section), entre ceux-ci et les opérateurs, et entre ces derniers et Ohno. Les idées d'Ohno ne paraissent pas convaincantes pour les agents d'encadrement, habitués à la production planifiée. Par conséquent, ils ne demandent pas à leurs opérateurs de ne pas avoir de stocks. Les opérateurs qui suivent les instructions de leur supérieur doivent donc affronter les colères d'Ohno. Ils s'en plaignent à leurs chefs d'équipe et de sous-section, mais ceux-ci ne veulent pas en prendre la responsabilité et s'accusent l'un l'autre. Ce problème se résout après qu'Ohno a appliqué la méthode du *kanban* et formé ses agents d'encadrement.

La division de gestion du personnel prend aussi deux mesures pour atténuer le mécontentement des opérateurs et agents d'encadrement :

— embaucher suffisamment de main-d'œuvre. Ainsi, des diplômés d'études secondaires sont employés comme opérateurs depuis 1962, mais l'emploi des ouvriers temporaires est massif jusqu'à la fin des années soixante du fait de la croissance rapide de la production ;

— donner de l'importance à l'initiative des salariés qui font du *kaïzen* ainsi qu'à la formation des agents d'encadrement, grâce à la mise au point, à partir de 1953, de méthodes améliorant les procédés de fabrication pour les chefs de groupe et d'équipe, méthodes de gestion scientifique pour les chefs de sous-section et de section.

En effet, « "opérer sur plusieurs machines" ne peut être réalisable sans l'initiative de salariés sur place » comme le déclare un ancien directeur de la division de gestion du personnel, cité par Tanaka [1982b]. Et la formation des agents d'encadrement constitue la clef de voûte pour la construction du SPT : c'est eux qui feront évoluer la ligne d'Ohno en mobilisant leurs opérateurs et en collaborant avec des ingénieurs.

Le SPT est l'aboutissement d'une longue série de kaïzen

Le SPT a pris forme en tant que système vers 1970. Dans sa figure élémentaire, il consiste en un réseau de distribution, au sein de Toyota et entre ses fournisseurs comme le montre la vue globale simplifiée. À en croire Taïichi Ohno — « produire ce qu'on a déjà vendu », ou le principe de prélèvement par l'aval —, il serait tentant de penser que le point de départ du SPT est la commande émanant de la clientèle. Puis, les commandes sont transmises à Toyota où l'ordinateur établit le plan de production, et donne tous les jours l'ordre de fabrication des voitures à la tête de l'atelier de carrosserie. Ainsi la fabrication se déroule-t-elle de cet atelier jusqu'à l'atelier de montage final. La tôle d'acier, les matières premières, les pièces et les composants..., tout ce qui est nécessaire au montage est fourni par les fournisseurs internes et externes suivant les règles du JAT (voir figure).

VUE GLOBALE SIMPLIFIÉE DU SPT

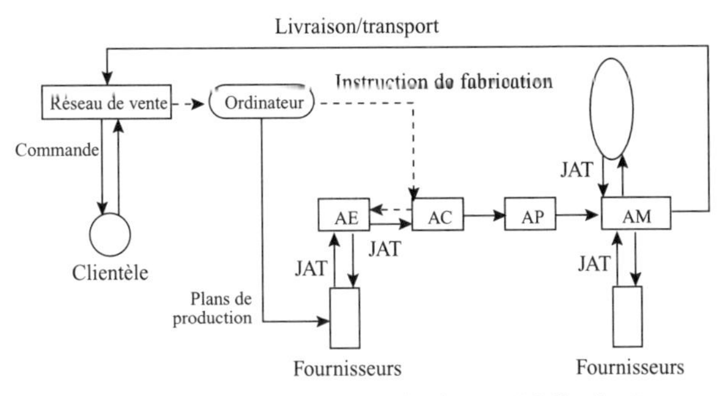

Sigles : AE est l'atelier de tôlerie et d'emboutissage ; AC, l'atelier de carrosserie ; AP, l'atelier de peinture ; et AM, l'atelier de montage final.

Cette description doit cependant être nuancée, car un malentendu peut s'installer du fait qu'on ne connaît pas suffisamment la planification de la production toyotienne et la relation entre Toyota et ses concessionnaires. De plus, cette image est trop statique, puisqu'elle ne dit pas comment stimuler les gains de productivité ni comment faire évoluer le SPT. Or, le SPT n'est pas un système immuable et statique. Quand Taïchi Ohno a commencé la rationalisation du système de production, il n'avait certainement pas une conception systémique claire. En effet, le SPT est l'aboutissement d'une série de *kaïzen* pour réduire le prix de revient. Qui plus est, il a besoin d'une organisation industrielle pour fonctionner sans problèmes majeurs. Il faut ainsi examiner les composantes du modèle industriel toyotien.

II / Réduire en permanence le prix de revient par le *kaïzen*

Pour Toyota, l'idée de base du SPT est l'élimination complète des gaspillages pour augmenter le profit : gaspillage sous forme de stocks et d'activités improductives.

Les matières premières et les pièces que Toyota achète ne peuvent être moins chères que celles de ses concurrents, et Toyota ne peut pas vendre une voiture plus chère qu'eux. Le prix de vente étant donné par le marché, il est nécessaire de baisser le coût de production pour augmenter la marge bénéficiaire, et ce coût constitue la seule variable stratégique. D'où la formule que Toyota souligne :

Prix – coût = profit.

Ce que dit Toyota semble aller de soi. Pourtant, il n'en est pas ainsi dans la plupart des firmes. Elles fixent le prix de vente en multipliant le coût unitaire par le taux de marge, de sorte que le coût n'est considéré comme compressible que par l'obtention de gains d'économie d'échelle : le coût fixe et le coût de main-d'œuvre par produit se réduisent si le volume de production augmente. En revanche, une fois donnés, les coûts variables tel le prix des matières premières et des pièces achetées s'élèvent au prorata du volume de production. Cette pratique de prix, chère au « fordisme américain » ou celle qu'enseigne un manuel de microéconomie n'est pas retenue par Toyota. Considérant le prix de vente comme donné par le marché, Toyota attaque les coûts variables, y compris celui de la main-d'œuvre afin de comprimer le prix de revient.

La quintessence du toyotisme réside ainsi dans des méthodes qui visent à réduire le prix de revient. Pour ce faire, Toyota vise à chasser sept sources de gaspillage, appelées « sept *muda* », des ressources matérielles, temporelles et humaines : la production excédentaire, le temps mort, le temps long du transport, de dépôt et de prise des pièces, la mauvaise préparation du travail, les stocks, les gestes inutiles et les défauts. Les deux principes du SPT, JAT et autonomisation, qui constituent dans ce contexte les deux piliers pour éliminer ces gaspillages, sont cependant canalisés et dynamisés par la gestion du prix de revient et de l'efficience productive. En effet, le profit visé doit être réalisé chez Toyota par la réduction du prix de revient. Les activités pour l'abaisser sont organisées de la conception jusqu'à la préparation de la production grâce à une « planification du prix de revient » (*genka kikaku*), alors que celles qui concernent le stade de fabrication sont contrôlées par la gestion du prix de revient et de l'efficience productive.

Conception du produit et planification du prix de revient

La conception toyotienne est connue pour son « ingénierie simultanée », car non seulement les ingénieurs internes mais aussi ceux des ateliers et des fournisseurs y participent, et pour son « organisation matricielle » dans laquelle l'ingénieur en chef dirige des ingénieurs appartenant aux bureaux de dessin. Nous nous concentrerons cependant sur la planification du prix de revient, c'est-à-dire les activités effectuées afin de réaliser le prix-cible de revient dans les étapes de conception lors du renouvellement d'une voiture, élucidées par deux études [Monden, 1991 ; Tanaka, 1992].

Le renouvellement du modèle se fait tous les quatre ans dans le cas de la plupart des VP. En prenant en considération le marketing de la division des ventes, le *bureau de conception des produits* propose le renouvellement d'un modèle au *conseil de conception des produits*, organisé par les administrateurs et ingénieurs en chef, qui en établit le plan de réalisation.

L'ingénieur en chef (*shu-sa*), responsable de ce modèle, le concrétise par un projet de développement comprenant les spécifications techniques du véhicule, le budget de son

PROCÉDÉS DE CONCEPTION
ET DE PRÉPARATION DE LA PRODUCTION

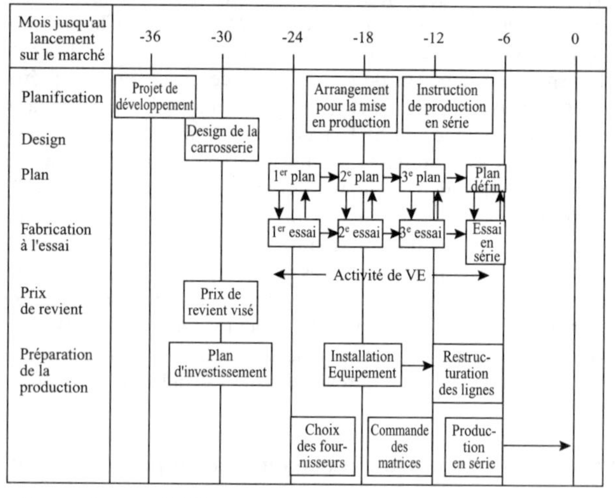

Source : TANAKA [1992].

développement (surtout les frais de fabrication à l'essai), le calendrier de développement, son prix de vente et la prévision du volume de ventes. La « commonalisation » de pièces et/ou l'utilisation de nouveaux composants sont aussi décidées, ce qui influencera considérablement le prix de revient de ce véhicule. Ici, le prix de vente est proposé par la division des ventes selon le principe : sans changement dans les fonctions, le prix de l'ancien véhicule est appliqué. Sinon on augmente le prix au prorata des nouvelles fonctions, évaluées sur leur prix de marché. Ce projet de développement doit être approuvé par le conseil de conception des produits. Puis l'ingénieur en chef s'engage dans la réalisation du projet, trente-six mois avant son lancement sur le marché (voir figure).

Les procédures de fixation du prix de revient

Le projet approuvé et le design de la nouvelle carrosserie choisi, le *conseil du prix de revient* établit, deux ans avant sa mise en production, l'objectif de profit sur ce véhicule (profit global à réaliser au cours de son cycle de vie) et celui de la réduction de son prix de revient à réaliser dans l'étape de développement.

En se référant au taux de profit objectif à long terme fixé par la direction, le *conseil de prix de revient* détermine le profit recherché par véhicule. Par ailleurs, il calcule son prix de revient estimé à partir des plans. Dans ce cas, il n'évalue que la différence entre le prix de revient de l'ancien véhicule et celui du nouveau, en tenant compte seulement des pièces et composants modifiés et ajoutés. Ainsi le nouveau prix de revient estimé est déterminé par l'addition de cette différence à l'ancien prix de revient et, par là, le profit estimé est obtenu. La différence entre l'objectif de profit et le profit ainsi estimé devient la cible de réduction du prix de revient estimé. Le prix de revient visé est ainsi fixé : prix de revient estimé moins la différence précédente.

En même temps, le plan d'investissement en équipements, y compris les matrices ou moules, est établi par la division des techniques de production. Le service de contrôle comptable le modifie en tenant compte du budget global d'investissement fixé par la direction. Après que le plan a été approuvé par le conseil de prix de revient, et que la direction a décidé la ligne de montage de ce véhicule, la division des techniques de production s'engage dans la restructuration des lignes de montage et de fabrication, environ un an avant la mise en production. En règle générale, la durée d'amortissement des investissements est de quatre ans, et seul l'amortissement des nouveaux investissements entre dans le prix de revient.

Entre-temps, les dessinateurs mettent au point les plans et analysent la valeur des composants (*value engineering*, VE) afin de baisser le prix de revient estimé jusqu'au prix de revient visé. (La VE correspond à une analyse de la valeur dans l'étape de la conception ; elle diffère de la *value analysis*, VA, analyse de la valeur après le lancement de la production en série).

« Value engineering » et baisse des prix

Ayant reçu l'objectif de la réduction du prix de revient estimé et après avoir fixé le design de la carrosserie, l'ingénieur en chef répartit cette somme aux bureaux de dessin, en tenant compte de leurs résultats passés et en négociant avec eux. C'est dans cette étape que les ingénieurs des fournisseurs extérieurs participent à la conception, environ deux ans avant la mise en production en série.

Une fois donné l'objectif aux bureaux de dessin, les ingénieurs sélectionnés de ceux-ci s'engagent dans les activités de VE. Leur tâche est de concevoir les composants et pièces (caisse, châssis, traction, trains, matériaux électriques, sièges, etc.) à la fois pour assurer leur fonction-qualité et pour réaliser l'objectif du coût de fabrication. Pour ce faire, ils répètent en général trois fois le cycle dessin-fabrication à l'essai-VE avant de dessiner le plan définitif. Dans ces procédures, le VE se focalise sur les matières premières, le nombre de pièces et leur forme, la méthode de façonnage des pièces, le temps de fabrication, la facilité du montage des composants et de leur pose sur la caisse, etc. Par conséquent, les dessinateurs ont besoin d'être au courant du processus et des méthodes de fabrication, même si la ligne sur laquelle le véhicule sera monté n'est pas encore décidée (Toyota a des lignes de montage interchangeables), et si l'usine de montage a tendance à monter les mêmes modèles. Ils doivent aussi gérer et contrôler les ingénieurs des fournisseurs concernés afin de mettre au point les pièces fournies. De surcroît, c'est dans l'étape de fabrication à l'essai qu'ils reçoivent des réclamations de l'atelier (ingénieurs d'atelier et contrôleurs de qualité surtout) contre leurs dessins. Ce qui les oblige à modifier leurs plans.

Chaque fois qu'on modifie le plan d'un composant, un attaché comptable estime son coût de fabrication, en lui appliquant une grille de coûts de fabrication, établie par ligne de fabrication, et qui comprend aussi le coût de main-d'œuvre et les coûts indirects, pour vérifier le résultat de leur VE.

L'établissement d'un prix de revient de référence

Une fois obtenu le résultat jugé satisfaisant, les plans définitifs sont tracés. C'est aussi dans cette étape que Toyota conclut un contrat d'achat avec ses fournisseurs extérieurs. Puis la direction décide sur quelle ligne de montage ce véhicule sera assemblé de telle sorte que l'optimisation globale des usines soit obtenue. Il arrive donc que la production de ce véhicule ne soit pas optimale sur la ligne choisie. Ainsi, après avoir restructuré les lignes de fabrication et de montage, la division des techniques de production détermine le prix de revient de référence par ligne, en tenant compte des coûts des matières premières, des pièces, des composants, du coût de la main-d'œuvre, etc. L'unité élémentaire pour le calcul de ce prix est l'équipe de travail (*kumi*) qui prend en charge plusieurs lignes de fabrication dans l'atelier de mécanique, ou un segment d'une ligne de montage dans l'atelier d'assemblage (cf. chapitre suivant sur l'organisation hiérarchique). Toutes les équipes ont donc leur prix de revient de référence. Ce prix n'est donc pas celui visé par la planification du prix de revient. Car la direction n'a pas choisi nécessairement la ligne de montage qui pourrait réaliser le mieux ce dernier. C'est ainsi qu'après la mise en production en série la division de fabrication mène les activités de *kaïzen* pour atteindre puis baisser encore le prix de revient de référence. La direction impose en effet à la division de fabrication un objectif de la réduction du prix de revient pour réaliser le profit visé.

La révision du prix de revient est effectuée par le *conseil d'amélioration du prix de revient* trois mois après la mise en production du nouveau véhicule. Ce conseil est composé d'un administrateur responsable, de l'ingénieur en chef et des membres du bureau de contrôle du prix de revient. Si le prix de revient réel est loin du prix de revient de référence, une modification de tracés, c'est-à-dire du plan des pièces, est effectuée.

La norme de *kaïzen* se décline dans toutes les unités

Après le démarrage de la production en série, la direction impose aux usines un objectif de réduction du prix de revient de référence tous les six mois, établi suivant l'objectif annuel de profit qui lui-même est fixé suivant un projet de rentabilisation à long terme. Quand le profit prévu (= [prix de vente] – [prix de revient effectif]) est plus petit que le profit visé, l'écart est comblé de la manière suivante : la moitié devra être absorbée par l'augmentation des ventes (gains d'économie d'échelle), et le reste par la baisse du prix de revient effectif, mais uniquement sur coûts variables (coûts des matières premières, énergie et main-d'œuvre). Ainsi, la moitié de la différence constitue la somme à réduire par le *kaïzen* pour la division de fabrication.

Un objectif fixé centralement

L'objectif de réduction semestrielle du prix de revient est décidé par le *conseil du prix de revient* qui est composé d'un vice-président, des directeurs d'usine (administrateurs), des chefs des divisions de gestion de la production, ceux des divisions de fabrication et d'autres administrateurs concernés. Il est ensuite réparti entre les usines de la manière suivante :

— l'objectif de la réduction du prix de revient est réparti entre usines après arrangement au sein du conseil, et donc entre les directeurs d'usine. La grandeur des coûts susceptibles d'être gérés (coûts des matières, de la main-d'œuvre et autres coûts variables) constitue le principal critère de répartition, mais le conseil prend également en compte les résultats que les usines ont réalisés et leur possibilité future de *kaïzen* ;

— ayant reçu l'objectif de *kaïzen*, le directeur d'usine a la responsabilité de le réaliser. Dans l'usine, la somme de *kaïzen* à réaliser est aussi répartie aux divisions (*bu*), puis aux équipes de travail (*kumi*) en passant par les sections (*ka*) et les sous-sections (*kakari*). Ainsi, les sections, unités de gestion, s'engagent dans les activités de *kaïzen* pour atteindre l'objectif qui leur est assigné.

Or, la réduction du prix de revient est poursuivie dans deux sens : baisse des coûts des matières premières, etc., et du coût de la main-d'œuvre. La gestion et le contrôle de ces deux types de coûts sont faits différemment.

Économie des matières premières et des pièces

En ce qui concerne ces coûts, la norme de leur réduction doit être atteinte par des activités de *kaïzen*. Il s'agit entre autres d'économies dans la consommation des matières premières. Pour ce faire, le *kaïzen* vise à l'amélioration des méthodes de façonnage pour minimiser les déchets. En ce qui concerne les pièces achetées qui sont contrôlées par la division des achats, les ateliers lui font souvent des suggestions telles que la modification de la forme de la pièce, l'utilisation de pièces moins chères, le changement de la matière de la pièce, etc. Car ce sont les ateliers qui connaissent le mieux les pièces qu'ils utilisent. L'économie en consommation de matières auxiliaires et d'énergie et la réduction des coûts d'outillage sont aussi poursuivies. Si l'usine fait des suggestions de tel *kaïzen* réalisable, une prime lui sera accordée grâce à une partie du budget disponible de l'usine.

De telles activités de *kaïzen* sont contrôlées par le *conseil du prix de revient* qui se réunit tous les mois à tous les niveaux hiérarchiques : direction (vice-présidents, administrateurs, directeurs), usine (vice-président, directeur, vice-directeurs), division (directeur, vice-directeurs, chefs de section et de sous-section), section (chef de division, chefs de section), sous-section (chefs de sous-section et d'équipe), et équipe de travail (chefs d'équipe). Au niveau des ateliers, ce sont les chefs de section qui sont responsables du *kaïzen*, alors qu'au niveau global ce sont les directeurs d'usine (administrateurs) qui assument la réduction des coûts. La direction n'a aucune responsabilité, bien qu'elle seule soit responsable de la rentabilité.

Le cœur du kaïzen *: améliorer l'efficience productive*

Mais ce qui compte le plus, c'est la gestion de l'efficience productive, effectuée à travers le système de salaire et liée à la gestion du coût de la main-d'œuvre. Ces deux paramètres, efficience productive et coût de la main-d'œuvre, étaient séparément gérés jusqu'au début des années quatre-vingt-dix. Le premier était surveillé par le conseil *bu-aï* (rémunération de la production) dans la direction alors que le second l'était par le bureau de gestion comptable. Mais si la gestion de l'efficience productive contrôle le temps de travail et le nombre des opérateurs des équipes de travail, cela se traduit dans le coût de la main-d'œuvre des usines au niveau du bureau de gestion comptable. Par conséquent, la gestion de l'efficience productive constitue la base de la gestion du coût de la main-d'œuvre. De surcroît, elle est au cœur du toyotisme. Il suffit donc d'expliquer cette dernière et les activités de *kaïzen* organisées pour augmenter l'efficience productive.

Suivant le plan annuel pour la réduction du prix de revient, le *conseil bu-aï*, organisé par un vice-président, les administrateurs et les directeurs concernés, fixe l'objectif global annuel, puis celui pour les six mois à venir, de l'augmentation de l'efficience productive, ou, ce qui revient au même, de la réduction du temps de production effective, déterminée par le nombre des tâches et des opérateurs, et le traduit dans le temps (*ko-su*). Il le répartit entre les usines, puis entre les sections (*ka*) en passant par les divisions (*bu*), en tenant compte de leur faisabilité et de leur importance (voir figure).

RÉPARTITION DE L'OBJECTIF DE L'AUGMENTATION DE L'EFFICIENCE PRODUCTIVE AUX SEGMENTS

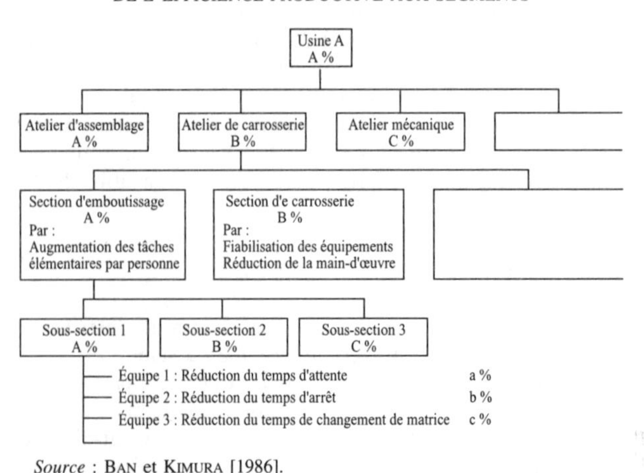

Source : BAN et KIMURA [1986].

Pour ce faire, le conseil *bu-aï* surveille mensuellement l'efficience productive de toutes les équipes de travail en saisissant l'état de leur atelier. L'objectif ainsi assigné aux sections constitue leur norme de *kaïzen* et, pour l'atteindre, il sera réparti au sein de la section, entre les sous-sections, puis entre les équipes de travail, compte tenu de leur faisabilité et avec l'indication des principales mesures à prendre. Une fois donnée la norme, les sections entament les activités de *kaïzen* pour augmenter l'efficience productive.

Le *kaïzen* des tâches et des procédés, pris en charge par les agents d'encadrement, s'effectue de la manière suivante dans la pratique quotidienne.

On essaie de trouver des segments qui bloquent souvent le flux de la production. Le système d'arrêt de la ligne sert à mettre en évidence de tels segments, car Taïichi Ohno l'a inventé aussi pour cela : le fait que l'arrêt fréquent baisse l'efficience productive force les agents d'encadrement à résoudre les problèmes. Même au cas où il n'y aurait apparemment pas de goulet d'étranglement, il arrive que le chef de section essaie d'en faire apparaître en élevant les cadences de travail. Ainsi la section s'engage-t-elle dans l'amélioration de ce segment, en demandant l'aide d'une équipe de *kaïzen* et/ou des ingénieurs du bureau de techniques dans l'usine.

On améliore ainsi l'ordre des tâches élémentaires de l'opérateur pour faire disparaître les goulets d'étranglement et pour réduire le temps de travail. Par exemple, déplacement des boîtes de pièces, utilisation d'une boîte de pièces dite « synchrone » qui se déplace avec la carrosserie, changement de la place du bouton de démarrage ou fabrication d'outils qui empêchent l'opération erronée. Dans une telle procédure, l'équipe de *kaïzen* qui a été créée au milieu des années quatre-vingt (équipe de maintenance autrefois), fabrique des outils (boîte de pièces « synchrone »), bricole des équipements (déplacement d'un bouton, par exemple) et des outils à la demande de la section.

Il existe aussi des équipes autonomes de *kaïzen*, organisées par les agents d'encadrement, qui examinent toute la ligne d'assemblage pour trouver les points à améliorer : équipe des chefs d'équipe pour réduire le temps de travail et équipe de chefs de sous-section pour réduire le nombre des opérateurs.

Dans ces activités autonomes, les ingénieurs du bureau des techniques de l'usine collaborent avec les agents d'encadrement. Ils leur donnent leurs idées en tant qu'ingénieur si le problème leur semble possible à résoudre par le *kaïzen*, sinon, ils demandent à la division des techniques de production l'installation de nouveaux équipements.

C'est en principe lors du renouvellement du véhicule que la division des techniques de production s'occupe de l'installation de nouveaux équipements sous la contrainte budgétaire. C'est aussi à ce moment-là que la division s'engage dans la mécanisation ou l'automatisation de tâches pénibles et dures en se mettant à l'écoute du bureau des techniques de l'usine et surtout des agents d'encadrement.

Ainsi la division du travail est-elle organisée autour des activités de *kaïzen* pour en augmenter l'efficience productive.

• Le premier type de *kaïzen* s'effectue couramment pour raccourcir le temps de production effectif, et de telles activités constituent une des fonctions des agents d'encadrement. En fait, la direction les informe de l'efficience productive de toutes les équipes de telle sorte qu'ils savent la place de leur propre équipe.

• Le deuxième, activité de l'équipe autonome, s'organise soit quand la direction veut augmenter considérablement l'efficience productive, soit lorsque l'usine a fixé un objectif de *kaïzen* qui nécessite la collaboration de tous les agents d'encadrement. Certes, les activités de l'équipe autonome ne sont pas obligatoires, mais elles s'organisent souvent comme une de leurs fonctions quotidiennes. En ce sens, les agents d'encadrement sont des personnes clés dans le toyotisme.

• Le troisième type de *kaïzen* mobilise la division des techniques de production et peut être appelé *grand kaïzen*. Dans ce cas apparaît l'importance des relations humaines entre les dirigeants de l'usine et la division des techniques, car c'est elle qui décide de la priorité d'investissement en tenant compte des demandes adressées par les usines. En fait, de nouvelles méthodes sont introduites d'abord dans une usine particulière, puis se diffuseront aux autres si elles sont efficaces.

Kaïzen volontaire… ou suscité par l'encadrement ?

En ce qui concerne le *kaïzen*, on souligne souvent l'importance des suggestions faites par des salariés à travers le système de suggestions et les cercles de qualité (CQ). D'après Masaaki Imaï [1992], Eïji Toyoda, président honoraire de Toyota, disait : « L'une des caractéristiques des travailleurs japonais est qu'ils se servent de leur cerveau tout autant que de leurs mains. Nos ouvriers nous apportent un million et demi de suggestions par an et 95 % d'entre elles sont mises en pratique. Dans l'atmosphère de Toyota, le souci d'amélioration est presque tangible. » Une autre étude sur la gestion du prix de revient de Toyota [Tanaka, 1992] mentionne le fait qu'en 1989 « le nombre des suggestions par an, faites par le personnel pour le TQC (*total quality control*) atteignit un million neuf cent soixante-dix mille — donc trente-quatre par tête — dont 97 % étaient retenues ». En lisant de telles phrases, on serait tenté d'imaginer que tous les salariés s'investissent volontiers et avec motivation dans les activités de *kaïzen* et que toutes les améliorations en qualité et productivité ont été apportées par eux. Or, on oublie souvent le fait que ces salariés appartiennent à toutes les catégories. En fait, il existe deux types de *kaïzen* : le *kaïzen* fait volontairement par les opérateurs et employés à travers le système de suggestions et les cercles de qualité (CQ), et le *kaïzen* contrôlé par la direction et pris en charge par les agents d'encadrement et les ingénieurs dont c'est une des fonctions. D'après Eïji Ogawa [1994], 90 % des activités de *kaïzen* effectuées appartiennent au second type. Si c'est le cas, quel rôle le premier type d'activités joue-t-il ?

Système de suggestions : des effets largement indirects

Le système de suggestions est introduit en 1951, à l'instar de celui de Ford. Toutefois, c'est en 1969 que le nombre des suggestions par tête dépasse une unité, et en 1970 que le taux de participation des salariés atteint 50 %. En 1971, la direction modifie le système : elle affiche deux fois par an le sujet général (sécurité et hygiène au mois de mai, qualité au mois de novembre). Les autres thèmes étaient pris en charge par les usines et les divisions. Les résultats sont rendus publics et des prix sont accordés aux suggestions retenues suivant leur importance. En affichant le nombre de suggestions par salarié tous les mois, le responsable de l'atelier essayait de mobiliser tous les salariés pour les inciter à faire des suggestions. Depuis lors, le taux de participation a augmenté de 54 % en 1970 à 67 % en 1971, puis 95 % en 1986.

Le système de suggestions n'est pas ce que l'on croit : quelques témoignages

Un chef de section : « Comme les opérateurs ne sont pas forts en écriture, ils ne peuvent proposer de *kaïzen* important. S'ils en avaient eu la capacité, ils ne seraient pas devenus opérateurs. [...] Mais ils s'intéressent beaucoup à faire des suggestions, parce qu'ils peuvent gagner de l'argent de poche en le faisant. »

Un ex-chef d'équipe : « Je faisais souvent des suggestions au nom de mes subordonnés, car, d'une part, leurs propres suggestions n'étaient pas à la hauteur, et d'autre part, j'aurais été critiqué par notre chef de section si mon équipe n'avait pas fait de suggestions. Les primes reçues pour ces suggestions étant mises de côté, elles étaient dépensées lors de l'excursion de notre équipe. Nous sortions ainsi ensemble deux fois par an, au printemps et en automne. »

Un ex-chef d'équipe : « J'avais un gars qui était vraiment mauvais dans son travail. C'est pourquoi on l'avait mis à l'équipe d'approvisionnement. Mais il faisait beaucoup de suggestions. Il a été même honoré d'un prix du président. Bien qu'il fût mauvais en tant qu'opérateur, il avait du talent pour faire des suggestions. »

Que signifie cet engouement pour les suggestions, même si, au début, les salariés étaient forcés de participer à ces activités. On peut avancer deux raisons : les suggestions sont rémunérées, et le degré de participation constitue un des critères d'évaluation (*sateï*) des agents d'encadrement (voir encadré).

En outre, on doit se demander quelle importance ont les suggestions. D'après un manuel décrivant le système de suggestions de Toyota, l'objectif principal des suggestions est d'améliorer l'efficience productive, la qualité et le prix de revient. Toutefois, il précise que le *kaïzen* important est le fait du personnel professionnel (agents d'encadrement et ingénieurs). De fait, les opérateurs ne font que des suggestions de

kaïzen sur leur tâche, elles sont donc mineures dans la plupart des cas. Il semblerait que, concernant les suggestions venant des opérateurs, la direction donne moins d'importance à leurs effets directs sur l'efficience productive qu'à leurs effets indirects. Le manuel mentionné énumère les effets indirects du système de *kaïzen* ainsi :
— effets éducatifs : en essayant de faire des suggestions, les salariés s'accoutument à réfléchir sur leur travail, et à résoudre un problème qu'ils se sont posé, et à élargir leur savoir-faire ;
— effets sur les relations humaines : en formant un groupe de suggestions ou en recevant des conseils de leur supérieur, ils peuvent enrichir leur communication horizontale et verticale et, par là, élargir leurs relations coopératives ;
— effets sur la participation : en faisant des suggestions, ils peuvent avoir une représentation communautaire de la firme, qui contribue à leur participation à l'objectif de la firme.

Ce sont donc ces effets indirects qui apparaissent importants pour la direction, et qui expliquent son obstination à faire participer les opérateurs et employés aux activités de *kaïzen*. Les chiffres témoignent de sa réussite. C'est aussi le cas des CQ.

Les cercles de qualité, une question de ressources et de relations humaines

En introduisant le TQC (*total quality control*) en 1961, Toyota développe une politique visant à assurer la qualité « sur le tas ». Commençant par la formation des administrateurs et cadres, puis des agents d'encadrement, Toyota organise les premiers cercles de qualité en 1964 sur la base de « *QC meeting* » des agents d'encadrement créés en 1962, pour intéresser les opérateurs au contrôle-qualité. En 1967, des activités « autonomes » des opérateurs (« activités pour éliminer les défauts » dont les leaders étaient les chefs de groupe) s'organisent pour faire disparaître les défauts causés par leur carence, car Toyota recevait beaucoup de réclamations des clients. Pour intégrer les chefs de sous-section et d'équipe aux activités, Toyota organise de nouveau en 1974 des CQ (cercles de qualité), mais cette fois dirigés par les chefs de sous-section. En même temps, l'objectif des activités est élargi : non seulement la qualité, mais aussi la maintenance, le prix de revient et la sécurité constituent désormais le sujet des activités. Enfin, en 1976, est fixée l'organisation des CQ : un CQ est organisé par groupe de travail, donc avec un chef de groupe et ses opérateurs. Un leader par thème est élu à partir des opérateurs. Le chef de sous-section et le chef d'équipe auxquels appartient ce groupe deviennent son conseiller et vice-conseiller. Il peut exister des mini-cercles dans un groupe de travail et des cercles élargis qui intègrent des membres d'un autre groupe. Au début des années quatre-vingt, il existait dans les usines cinq mille quatre cents cercles dont la taille moyenne était d'environ six personnes : 35 % d'entre eux traitaient des problèmes de la qualité, 15 % ceux de la maintenance, 30 % ceux du prix de revient et 20 % ceux de la sécurité. Les activités de CQ se répandent remarquablement. Toutefois, elles ne visent pas directement aux résultats, à savoir à la réalisation de *kaïzen* important. Un administrateur, responsable du TQC, a écrit : « Le sujet du CQ doit être celui dans lequel tous les membres peuvent intervenir. Par conséquent, on ne peut pas se poser des problèmes techniquement difficiles ou dont la résolution exige un investissement dans des équipements... » [Nemoto, 1983].

« Pour les CQ, le *kaïzen* n'est pas l'objectif, mais le moyen. Les activités des CQ ont pour objectif de "former des ressources humaines" et de créer un "lieu de travail agréable" à travers des activités de *kaïzen* » [Nemoto, 1992].

De fait, Toyota s'attend à ce que, par ces activités, les salariés éprouvent une satisfaction en exerçant une responsabilité, en résolvant un problème. Ils sont ainsi reconnus, enrichissent leur compétence et participent ensemble à rendre leur propre lieu de travail confortable. Le fait que le CQ soit organisé par groupes de travail a pour objectif de créer de bonnes relations humaines dans le groupe, en y mobilisant tous les membres. Par conséquent, l'accent est mis sur la continuité des activités et les relations humaines. Pour cette raison, la direction admet même des thèmes tels que l'apprentissage de l'ordinateur, ou encore l'étude de méthodes pour gagner au jeu de *« pachinko »*, etc.

Que ce soit le système de suggestions ou les CQ, le *kaïzen* en provenance des opérateurs n'est pas ce qu'attend la direction. Tant s'en faut. Faire des activités de *kaïzen* est en soi important, car cela incite les opérateurs à améliorer leur lieu de travail, la qualité des produits et la sécurité du travail et, par là, former leur capacité au *kaïzen*. Au moins, les salariés prennent ainsi conscience de la productivité, de la qualité et du prix de revient dont dépend la compétitivité de leur firme. De plus, le CQ a pour effet de renforcer le lien entre ses membres et leur leader peut avoir une capacité pour communiquer et organiser. Les relations coopératives et communautaires ainsi créées dans l'atelier seraient à l'origine de la productivité. En somme, le système de suggestions et les CQ sont deux dispositifs d'incitation au *kaïzen* et de formation des salariés, tout en étant des activités de relations humaines.

Le moteur de la performance de Toyota

Si Toyota demeure toujours une des firmes les plus performantes, ses résultats sont soutenus par sa gestion du prix de revient. Les activités de *kaïzen* rigoureusement organisées et contrôlées pour comprimer le prix de revient ainsi que pour élever la productivité et la qualité des produits sont exercées par des agents d'encadrement et des ingénieurs au titre de leur fonction, mais les activités de *kaïzen* volontaires faites par les opérateurs ne sont pas négligeables pour autant. Non seulement parce que de telles activités étant rémunérées, ils deviennent sensibles à la qualité de leurs produits, au prix de revient, à leur sécurité et à l'hygiène de leur atelier, mais aussi parce qu'ils se forment ainsi, sinon tous, et acquièrent la compétence nécessaire pour devenir agent d'encadrement.

Or, la direction n'oblige pas les salariés à faire du *kaïzen* sans contrepartie. L'augmentation de l'efficience productive rapporte aux opérateurs une hausse de leur salaire selon une règle du jeu bien précise. Même si les agents d'encadrement s'occupent du *kaïzen* de l'efficience productive, le résultat en est l'intensification de leur travail. Si l'atelier fait des suggestions approuvées, il reçoit des primes. Pour promouvoir des activités de *kaïzen* volontaires, des primes différenciées suivant l'importance des suggestions sont aussi accordées aux opérateurs qui en ont fait la proposition. En un mot, Toyota incite les salariés aux activités de *kaïzen* au moyen de diverses mesures et les gains obtenus par le *kaïzen* sont partagés avec les salariés.

Cela ne fait cependant pas oublier la sévérité de la direction dans sa gestion. L'efficience productive de toutes les équipes est attentivement surveillée par la direction qui pourrait ordonner aux équipes les moins efficientes des activités de *kaïzen*. Dans des cas d'urgence comme dans la période qui a suivi le premier choc pétrolier ou lors de l'appréciation rapide du yen de 1985-1987, une réduction importante du prix de revient fut imposée à tous les ateliers, à toutes les divisions ainsi qu'aux fournisseurs. En fait, le management de Toyota est, en ce sens, cohérent.

III / Organisation du travail et relations industrielles : de fortes complémentarités

La performance du SPT s'appuie sur les ressources humaines qu'il mobilise. Les salariés polyvalents et motivés assurent une rotation des tâches, développent la qualité sur place et suggèrent comment améliorer la productivité, élever la qualité et baisser le prix de revient. Si un problème surgit dans leur poste de travail, ils arrêtent la ligne de fabrication pour résoudre le dysfonctionnement. En détectant les causes d'un tel problème, ils cherchent une mesure afin que cet incident ne se reproduise plus. En examinant toute la ligne de fabrication, ils recherchent les goulets d'étranglement de la production.

Telle est l'image diffusée durant le boom du « management japonais ». Certes, ce que font les salariés de Toyota dans leur ensemble n'est pas loin de cette image. Pourtant, comment organiser le travail ? Comment caractériser la qualité du travail ? Comment impliquer les salariés ? Voilà les questions cardinales pour comprendre la productivité du toyotisme.

La division du travail dans l'atelier

L'organisation hiérarchique dans l'atelier est la suivante. L'agent d'encadrement le plus bas est formellement le chef de groupe (*hanchô*) qui dirige de trois à cinq opérateurs. Il joue en réalité le rôle de leader de son groupe et de remplaçant lors de l'absence d'un de ses opérateurs. Gérant trois ou quatre groupes de travail, un chef d'équipe (*kumichô*) est en fait l'agent d'encadrement de niveau le plus bas. Il gère son segment de fabrication et les tâches de son équipe. Un chef de sous-section (*kochô*) gère trois ou quatre équipes de travail constituant une sous-section (*kakari*). Il est considéré comme commandant *ipso facto* la production dans l'atelier. Car durant le travail de nuit ou pendant l'absence du chef de section (*kachô*), ce sont les chefs de sous-section qui gèrent la production à la place du chef de section qui ne travaille que la journée. Un chef de section gère deux *chôku*, unité qui travaille alternativement le jour et la nuit, composée de trois ou quatre *kakari*, et le directeur (ou le vice-directeur) de l'usine gère deux ou trois sections (voir encadré).

Organisation hiérarchique dans l'usine*

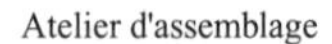

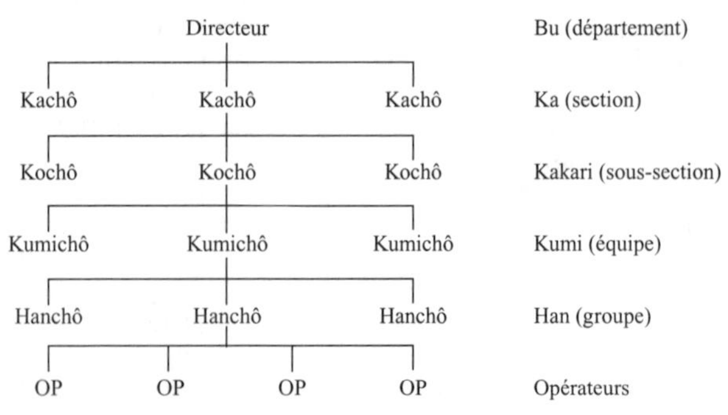

* Ici, le *han* est traduit en groupe de travail, le *kumi* en équipe de travail, le *kakari* en sous-section, et le *ka* en section. Le *chô* signifie le chef.

Tâche standard et cadences de travail

Dans le cas de l'organisation taylorienne, c'est le service des méthodes qui détermine les tâches et les temps standards, alors que chez Toyota ils sont établis par le chef d'équipe. Ce dernier analyse toutes les opérations élémentaires de son segment, et chronomètre le temps nécessaire pour les exécuter, y compris celui de réalisation, d'attente, de déplacement et le temps de la machine. Le *temps de cycle* signifie celui dans lequel un opérateur doit terminer la totalité des opérations qui lui sont assignées. Ce temps est donc déterminé en même temps que la tâche standard. L'opérateur doit exécuter ses opérations suivant la tâche standard et le temps de cycle ainsi déterminés.

Des traits du taylorisme semblent donc présents même dans le toyotisme. Pourtant, même si persiste une division entre conception et exécution, l'écart est moindre quand on le compare avec la division qui caractérise le taylorisme canonique dans lequel un fossé insurmontable existe en matière de travail intellectuel. En fait, dans le toyotisme, le chef d'équipe, qui lui-même était auparavant opérateur, se comporte comme un des membres de l'équipe, et les représente face aux supérieurs. De plus, la direction conseille aux chefs d'équipe de faire participer leurs subordonnés (chefs de groupe et opérateurs) à la détermination des tâches standards pour qu'ils puissent travailler en percevant qu'ils les ont eux-mêmes établies. Si tel est le cas, l'organisation toyotienne du travail ne peut être qualifiée de tayloriste, bien qu'elle lui emprunte ses méthodes pour analyser et déterminer les tâches standards (*time and motion study*).

Toyota donne de l'importance à la tâche standard pour que les opérateurs puissent assurer la qualité et la sécurité du travail ainsi que pour effectuer des activités de *kaïzen* : « Pas de *kaïzen* sans la tâche standard. » Car si un opérateur éprouve une difficulté pour achever ses opérations dans le temps de cycle, la tâche standard devra être modifiée soit par la réorganisation de ses opérations, soit par celle des tâches d'une ligne de fabrication tout entière.

Or, les cadences de travail ne sont logiquement pas déterminées par le temps de cycle, mais par le *Takt time* (terme composé, par l'allemand *Takt* et l'anglais *time*, qui désigne le temps qu'une caisse passe dans un poste de travail). Une fois donnés le volume de production et les heures ouvrables dans une journée de travail, le *Takt time* est automatiquement déterminé par la division des heures ouvrables par le volume de production par jour. Dans la plupart des cas, le temps de cycle est égal ou proche du *Takt time*. En ajustant le nombre des opérateurs au volume de production, on répartit les opérations élémentaires pour qu'ils puissent finir leurs opérations dans le *Takt time*. Par exemple, dans le cas de la ligne de montage d'un modèle de grande série, le *Takt time* est environ d'une minute pendant laquelle un opérateur exécute de cinq à dix opérations élémentaires, quand il s'agit bien entendu de pose de petites pièces (voir encadré, ci-contre).

Économie de main-d'œuvre et organisation flexible du travail

Les tâches standards sont modifiées dans le temps pour augmenter la productivité. Dans le paradigme fordien et classique, des gains de productivité seraient obtenus par la substitution capital-travail et/ou par des économies d'échelle. Dans le toyotisme, ils le sont par l'amélioration (*kaïzen*) des procédés de travail, laquelle a pour objectif de réduire le nombre des opérateurs et le temps réel de production, sans négliger, bien entendu, l'effet de volume (gains en termes d'économies d'échelle). Trois étapes sont à distinguer.

• Redistribuer les tâches de telle sorte que le temps de cycle des opérateurs soit égal au *Takt time* (voir encadré). En supposant par exemple qu'une ligne est composée par cinq postes qui ont un cycle de temps différent l'un de l'autre (0,6 minute pour P1, 0,9 minute pour P2...) : le temps standard de cette ligne est de 3,4 minutes. On donnera autant d'opérations élémentaires au maximum des opérateurs que le *Takt time* leur permet de faire. Par conséquent, trois opérateurs ont un temps de cycle d'une minute, alors que le résidu — 0,4 minute — d'opérations est assigné au quatrième opérateur. Ce faisant, le cinquième poste est éliminé, et la production prise en charge par quatre opérateurs à la place de cinq. La première méthode toyotienne pour augmenter la productivité consiste en ce type de réorganisation des tâches. En outre, elle donne une cible aux activités de *kaïzen*. C'est maintenant le quatrième poste résiduaire qui devra être éliminé.

• *Réorganisation de la ligne de fabrication dans le cas des ateliers de mécanique.* — La linéarisation des procédés de fabrication est le premier résultat d'une telle opération. Mais

Réorganisation des tâches d'une ligne*

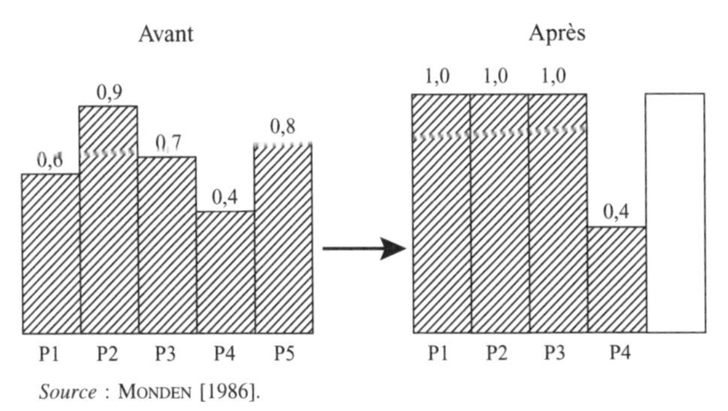

Source : MONDEN [1986].

* Le *Takt time* est une minute. Le chiffre noté au-dessus d'un rectangle indique le temps de cycle de ce poste. P1, P2... sont les postes de travail.

dans le cas de la ligne droite, il est souvent difficile d'éliminer le dernier poste P4 qui ne fait que 0,4 minute d'opérations dans notre exemple. C'est pour éliminer un tel poste que la ligne U a été conçue. En installant des machines-outils autonomisées dans l'ordre de l'usinage et en forme U et en éliminant des mouvements et des temps inutiles (déplacement long, temps d'attente, etc.), on réorganise le travail de telle manière que trois opérateurs au lieu de quatre puissent produire la même quantité (voir encadré). Cette ligne U montre une flexibilité dans l'ajustement du nombre des opérateurs aux fluctuations de la production de mois en mois. Si le *Takt time* devient plus long à cause de la baisse de la production, on réduira le nombre des opérateurs de trois à deux, et vice versa.

• Enfin, dernière étape, après le premier choc pétrolier, plusieurs lignes U furent reliées pour rendre plus flexible l'ajustement du nombre des opérateurs [Monden, 1991]. Autrement dit, les lignes U reliées ont deux effets : réduire le nombre des opérateurs par la réorganisation des tâches au-delà d'une ligne pour augmenter la productivité à moyen et à long terme, et maintenir la productivité par l'ajustement de la

La ligne en U, source de productivité et de flexibilité*

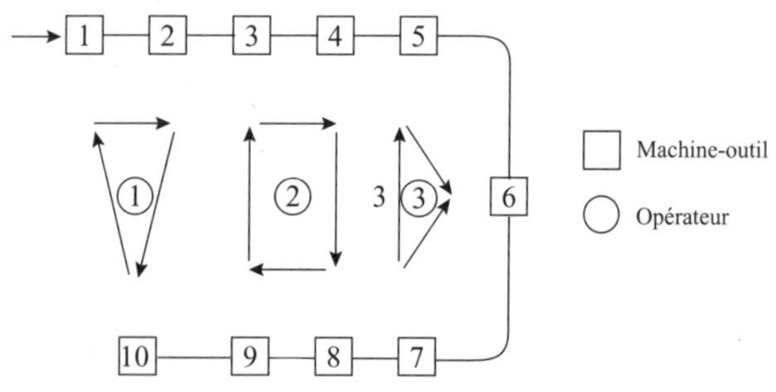

Source : MONDEN [1991].

* La ligne en forme U est un aboutissement de l'autonomisation des machines-outils et de l'économie de main-d'œuvre. Dans cet exemple, opèrent dix machines-outils installées dans l'ordre de fabrication d'une pièce, et trois opérateurs. L'opérateur 1 s'occupe des trois machines-outils, 1, 2 et 10, en se déplaçant de 1 à 10 en passant par 2 comme l'indiquent les flèches, etc.

main-d'œuvre aux fluctuations du volume de production à court terme.

Ainsi, le toyotisme maintient ou augmente la productivité par l'ajustement flexible ou la réduction du nombre des opérateurs sur la base de la réorganisation des procédés de travail et des tâches. Il est cependant à retenir que son originalité réside dans les méthodes adoptées. Pour cette raison, Toyota prétend que ces méthodes « respectent la dignité humaine » des opérateurs. Bien entendu, cette logique est difficile à comprendre pour les Occidentaux, car, sans réduction du temps de travail, le travail devient plus intensif. Mais les salariés exclus d'une ligne par cette réorganisation seront affectés à une autre ligne ou à un autre atelier, car leur emploi est garanti, et les gains ainsi obtenus sont partagés aussi avec les salariés qui y ont contribué. Sans ces conditions, de telles réorganisations buteraient sur la résistance des salariés.

Heures supplémentaires et transferts de main-d'œuvre

Comme pour d'autres firmes japonaises, l'ajustement quotidien du volume de travail se fait par des heures supplémentaires. En règle générale, les salariés doivent effectuer des heures supplémentaires si leur volume de production planifié n'est pas achevé dans la durée légale du travail. En effet, la ligne de montage s'arrête de temps en temps à cause de problèmes divers (système d'arrêt de la ligne), même si le plan est établi pour près de 95 % à 98 % des heures ouvrables. De plus, le plan de production d'une unité de travail tient compte au préalable des heures supplémentaires (une heure par exemple). Les opérateurs travaillaient ainsi d'une à deux heures supplémentaires par jour jusqu'au début des années quatre-vingt-dix.

Comme, à cette époque, les usines travaillent en deux équipes de jour et de nuit (8 h-17 h et 20 h 30-5 h 30, y compris une heure de repas et un repos de dix minutes après deux heures de travail), les intervalles des deux équipes laissent *a priori* une marge pour des heures supplémentaires, sans parler du temps nécessaire à l'entretien et à la réparation des équipements. De plus, le code du travail permet aux salariés de la section directe de travailler au maximum quatre heures supplémentaires par jour, douze heures pendant les jours de congés et cinquante heures par mois à condition certes qu'il y ait accord entre la direction et le syndicat.

Pourtant, l'ajustement du volume de travail aux fluctuations de la production ne peut pas se faire que par les heures supplémentaires. En fait, il n'existe pas de grandes marges de manœuvre parce que le plan de production les a déjà prises en compte. Par conséquent, d'autres mesures sont prises, mis à part l'emploi de salariés temporaires qui n'était pas important durant les années soixante-dix et la première moitié des années quatre-vingt : envoi de salariés d'un lieu de travail à un autre, et transfert d'une partie de la production d'une ligne de montage à une autre.

Rotation des produits, pas seulement des tâches

Plus que l'envoi de salariés renforts, la « rotation des produits » entre des lignes de montage, à savoir le transfert de la production en partie ou en totalité d'un modèle, d'une ligne de montage à une autre, semble raisonnable et faisable sans provoquer de mécontentement des salariés. Mais elle se heurte à des problèmes techniques surtout dans les procédés de soudure, dans l'atelier de carrosserie.

Tout d'abord, les deux lignes d'assemblage doivent être interchangeables ou « compatibles » pour que le transfert d'un modèle soit possible. Cela est relativement facile lorsque les deux lignes montent des voitures semblables, c'est-à-dire les versions d'un même modèle ou les deux modèles d'une même plate-forme. Un tel transfert s'effectuait déjà depuis le début des années soixante-dix entre une usine de Toyota et son assembleur [Seïke, 1995].

En revanche, transférer un modèle à une autre ligne où l'on monte un autre modèle ayant une plate-forme différente est techniquement difficile tant que la ligne de soudure reste spécialisée. En effet, Toyota ne pouvait pas monter des caisses différentes sur une ligne de soudure jusqu'au milieu des années quatre-vingt. Ce problème est résolu en 1985 par l'invention de la ligne de soudure flexible et universelle (FBL : *flexible body line*) qui peut souder plusieurs sortes de caisses en changeant les palettes qui soutiennent les membres des caisses à souder. Depuis lors, il est devenu facile et plus fréquent de transférer une partie de la production d'une usine à l'autre. Cela, d'une part, pour équilibrer la charge des lignes de montage de Toyota et de ses assembleurs. D'autre part, aussi pour, semble-t-il, augmenter l'interchangeabilité entre les lignes de montage et former les opérateurs pour de telles opérations.

Un tel rééquilibrage de la charge des lignes de montage faite par la « rotation de caisses » (*body rotation*), ainsi appelé à l'instar de « rotation de tâches » (*job rotation*), permet aux salariés de travailler sans déplacement fréquent d'une usine à l'autre, ce que, bien sûr, ils préfèrent.

Une polyactivité finalement limitée

D'après Kazuo Koïke [1991], la productivité élevée des firmes japonaises naît de la compétence intellectuelle de leurs opérateurs. Distinguant les activités ordinaires (routines) et celles extraordinaires dans leur tâche, il affirme que les activités extraordinaires ne peuvent se faire sans une compétence intellectuelle qui se manifeste quand ils font face à des anomalies dans leur travail, anomalies telles que la panne de la machine, la présence de pièces défectueuses, le goulet d'étranglement dans la production. Par compétence intellectuelle, Kazuo Koïke entend donc les capacités des salariés à faire du *kaïzen* et résoudre des problèmes qui surgissent dans leur travail.

Sans nier catégoriquement sa thèse, trois remarques s'imposent. D'abord, il sous-estime l'importance des activités ordinaires, à savoir le travail que font les opérateurs. Clairement le mode de travail toyotien constitue la source de la productivité et de la qualité : non seulement la polyactivité et l'assurance de la qualité sur le tas, mais aussi les cadences de travail élevées et le travail très intensif. Ensuite, la discussion sur la capacité de *kaïzen* doit être nuancée car la réalité des activités de *kaïzen* n'est pas aussi simple : lorsqu'il est effectué pour augmenter la productivité, il relève de la tâche des agents d'encadrement et des ingénieurs, et non pas de celle des opérateurs (cf. *supra*, chapitre II). Enfin, les opérateurs ne peuvent pas toujours résoudre des problèmes apparus au cours de leur travail. Une simple visite de l'atelier de montage laisse voir que lorsqu'un opérateur a arrêté la ligne de montage pour une raison technique, chefs de groupe, d'équipe et de sous-section viennent observer et résoudre son problème. Cela signifie que lesdites capacités ne sont pas assumées par l'opérateur mais par l'agent d'encadrement.

Comme la tâche d'un opérateur comprend plusieurs opérations élémentaires qui d'ailleurs changent de temps en temps, les opérateurs doivent être polyvalents. En outre, Toyota pratique la rotation des tâches dans l'équipe de travail pour former des « ouvriers polyvalents ». Pourtant, la polyvalence signifie pouvoir faire les opérations élémentaires d'une ligne de fabrication ou d'un segment de la ligne de montage. Ainsi, en

1994, certains salariés fabriquaient le même genre de pièce depuis dix ans, ou travaillaient sur le même segment de la ligne de montage depuis plus de vingt ans bien qu'ils soient promus agents d'encadrement. En effet, la rotation de tâches qui dépasse l'équipe de travail n'était pas systématiquement effectuée. Ces caractères du travail à la chaîne seront remis en cause par Toyota elle-même au début des années quatre-vingt-dix.

Démythifier les relations industrielles toyotiennes

Pour qu'opèrent les dispositifs précédents, une série de conditions sociales est requise. Les relations industrielles japonaises sont connues pour l'emploi à vie, le salaire à l'ancienneté et le syndicat d'entreprise coopératif. Mais ces facteurs ne permettent pas de comprendre les relations industrielles toyotiennes. Nous avons déjà vu le caractère du syndicat de Toyota. En ce qui concerne l'emploi à vie, celui-ci n'est qu'une convention tacite, car il n'est notifié ni dans la convention collective ni dans le contrat de travail. Le salaire à l'ancienneté n'est pas institutionnalisé non plus. Nous expliquons donc des relations industrielles toyotiennes, d'un côté pour démythifier leur image d'Épinal, et de l'autre pour élucider le mécanisme incitatif à l'œuvre.

Organisation hiérarchique et promotion

Un nouvel embauché, qu'il soit « col bleu » ou « col blanc », est classé dans l'organisation hiérarchique (voir tableau) suivant sa scolarité : les diplômés d'études secondaires au niveau 9C ; ceux d'Université à cycle court (2 ans) au 9B ; et ceux d'Université à cycle long (4 ans) au 9A. L'écart des salaires initiaux entre ces trois rangs ne dépasse pas la majoration du salaire moyen pendant les années correspondant à la différence dans leur scolarité. En effet, les premiers salaires sont révisés tous les ans, tandis que, pour un salarié qui est embauché après avoir quitté un autre emploi, Toyota accorde un supplément, tenant compte de son expérience. En fait, le premier salaire en 1993 est de 154 000 yens pour le 9C, et de

NIVEAUX, QUALIFICATIONS ET POSTES DE TOYOTA

Niveaux	*Qualifications*	*Âge minimum (âge moyen)**	*Postes*	
			Production	*Bureau, Ingénieur*
1A	Directeur		*Buchô*	*Buchô*
1B	Vice-directeur	(56,0)	*Jichô*	*Jichô*
2A	Chef de section supérieure	(53,0)	*Kachô*	*Kachô*
2B	Chef de section			
30	Chef de sous-section	41 (47,3)	*Kochô*	*Kakarichô*
40	.Moniteur supérieur			
50	Chef d'équipe	35 (43,5)	*Kumichô*	Employé et ingénieur
60	Chef de groupe de 1er rang	33 (40,4)	*Hanchô*	
7A	Chef de groupe de 2e rang	29 (36,8)		
7B	Moniteur	27 (33,0)	Opérateur	
80	Moniteur de 2e rang	24 (28,2)		
9A	Exécutant de niveau supérieur	21 (23,4)		
9B	Exécutant de niveau moyen	19 (19,5)		
9C	Exécutant de niveau inférieur	18 (18,0)		

Source : Toyota.

* Les âges moyens entre parenthèses sont ceux de 1993.

196 000 yens pour le 9A, de sorte que l'écart est de 42 000 yens, alors que l'augmentation du salaire moyen en quatre ans de 1990 à 1993 est d'environ 55 000 yens.

Sachant que l'écart a une tendance à augmenter à partir du milieu des années quatre-vingt, les cols blancs sont encore mal placés par rapport à leurs homologues occidentaux. Cela vient de la politique toyotienne qui veut combler le fossé entre les cols bleus et les cols blancs. Pourtant, il est sûr que la vitesse de la promotion est différenciée entre deux catégories de salariés : promotion plus rapide des cols blancs, ce qui légitime à son tour la différenciation salariale entre eux. C'est plutôt entre les niveaux 30 (trois, zéro) et 2B qu'on trouve un fossé hiérarchique, car les niveaux au-dessus du 2B sont considérés comme cadres au sens français du terme, c'est-à-dire recevant un salaire mensuel fixe et n'ayant pas le droit de toucher de rémunération au titre des heures supplémentaires, ni d'adhérer au syndicat.

Dans cette hiérarchie, les salariés sont promus suivant le résultat de l'évaluation (*sateï*) de leur compétence, faite par leurs supérieurs. Les diplômés d'études secondaires, cols bleus, ont la possibilité d'être promus jusqu'au niveau 1B, vice-directeur de l'usine. La part des chefs de sous-section représente environ 10 % des salariés de leur génération en 1993, tandis que celle des chefs d'équipe est de l'ordre de 50 % (le chiffre varie d'une année à l'autre), et celle des chefs de groupe atteindrait environ 70 %. En 1996, 90 % des cols bleus de quarante ans et donc ayant une ancienneté de vingt-deux ans (embauchés immédiatement après leurs études secondaires) sont classés à un niveau au-dessus de 7A, alors que le reste demeurait au niveau de 9A à 7B [Ishida *et al.*, 1997]. Mais, l'ancien président-directeur général déclarait : « Si vous travaillez avec assiduité même si vous n'avez pas de compétence, vous pourrez devenir chef de groupe avant votre mise à la retraite. » C'est aussi une des politiques de la division de gestion du personnel : la plupart des opérateurs peuvent être promus tôt ou tard au moins au poste de chef de groupe. Sinon, les salariés de plus de quarante ans sont transférés de la section directe à la section indirecte, car ils ne peuvent plus supporter physiquement le travail à la chaîne.

Pour la promotion, il y a quatre niveaux critiques où la sélection s'effectue : 7B, 60 (six zéro), 50 (cinq zéro), 30 (trois zéro). Le pouvoir de nommer un salarié aux postes de chefs de groupe (7A), d'équipe (50) et de sous-section (40) relève du bureau administrant l'usine, et effectivement des chefs de section et du directeur d'usine. La division de gestion du personnel n'intervient pas, et se contente de fixer l'âge minimal de chaque niveau et de donner à l'usine le nombre des promotions de chaque niveau et les résultats de la formation spécifique des candidats à ces postes. Dans l'usine, le chef de section sélectionne les candidats dans sa section tenant compte de leurs notes de *sateï* pour les deux ou trois dernières années.

Les notes de *sateï* s'échelonnent formellement de 1 à 5 par demi-point, mais pratiquement de 2 à 4 (on donne rarement 1, 1,5 ou 4,5 et 5). Pour être promu du rang 7B au rang 7A, le salarié doit obtenir la note 4 en moyenne pour les deux ou trois années précédentes. Pour obtenir de bonnes notes, l'opérateur doit donc s'investir dans sa tâche et développer de bonnes relations avec ses collègues et supérieurs. Le système de *sateï*, cher au management japonais, constitue ainsi un dispositif puissant de gestion du personnel.

Un système de salaires original... et complexe

En matière de rémunération se superposent les salaires mensuels, les bonus versés deux fois par an et une gratification de retraite. Or, le système de salaire mensuel toyotien est très original. Comme le salaire de début est identique pour tous les salariés de la même génération et de la même scolarité, et qu'il n'existe pas de grille de salaires par qualification, l'écart salarial entre eux apparaîtra à cause de la majoration des salaires, faite en avril après le *shunto*.

De 1950 jusqu'à la fin des années quatre-vingt, le salaire mensuel des salariés de niveau de 9C à 30, qu'ils soient opérateurs ou ingénieurs, était composé par le salaire de base (SB), la rémunération de la production (RP) et la rémunération des heures supplémentaires (RHS), si on néglige les primes mineures. En 1984, leur part dans le salaire mensuel était respectivement de 28,3 %, 39,8 % et 18,2 %, le reste étant la part des autres primes. Dans cette formule, les deux premiers membres constituent le « salaire standard » qui sert de base au calcul de la cotisation sociale et de la pension de retraite. La RP est déterminée par le produit du SB et du coefficient de rémunération de la production (CRP) et la RHS, par le produit du salaire standard et du coefficient de rémunération des heures supplémentaires (CRHS = 1,3 x heures supplémentaires/166). Le calcul du salaire mensuel peut être présenté comme suit :

Salaire mensuel = SB (1 + CRP) (1 + CRHS)

Les variables principales du salaire sont donc le SB, l'efficience productive (CRP) et les heures supplémentaires (CRHS). Le CRP et le CRHS peuvent varier de mois en mois, alors que le SB augmente une fois par an en avril. Des règles spécifiques gouvernent l'évolution de ces trois composantes.

Le salaire de base est augmenté au printemps

Le syndicat et la direction négocient, lors du *shunto*, la majoration annuelle du salaire standard moyen et sa répartition selon les niveaux hiérarchiques. En 1989, elle est de 12 900 yens (de l'ordre de 600 francs de l'époque). La part de SB était environ 5 000 yens, car le CRP moyen de l'année précédente est de 1,504 (le salaire standard = SB (1 + CRP)). Cette somme est répartie entre les divers niveaux en sorte que le coefficient de répartition au niveau 7B soit de 100 %. Si on suppose que le coefficient du niveau 9C est de 65 % comme pour l'année 1987, la somme moyenne de la majoration du salaire de base de ce niveau sera de 3 250 yens. Pourtant, elle ne sera pas automatiquement ajoutée au SB des salariés, car intervient le *sateï*.

Comme les notes effectives de *sateï* s'échelonnent de 2 à 4, le coefficient effectif se répartirait entre 93 % et 107 %, supposant que 100 % soient donnés aux salariés dont la note est de 3. D'après un ancien responsable de la gestion du personnel, cet éventail serait de 95 % à 105 % [Tanaka, 1982a]. Si c'est le cas, l'augmentation du salaire de base des salariés serait fixée entre 3 088 et 3 413 yens. Le salarié qui a eu la note la plus mauvaise reçoit ainsi 3 088 yens, de sorte que son salaire de base à partir d'avril 1989 sera 56 088 yens, alors que le salarié le meilleur aura 56 413 yens. L'écart des salaires de base n'étant que 325 yens. Il faut cependant à retenir le fait qu'il sera amplifié par les coefficients CRP et CRHS, et que le différentiel s'accumulera d'une année à l'autre. De plus, la répartition étant différenciée par niveau, l'augmentation du SB est d'autant plus rapide que la promotion se fait plus vite. Le SB a l'apparence du salaire à l'ancienneté, mais en fait il est déterminé par la négociation salariale au printemps, le niveau des salariés et leur notc de *sateï*.

Une rémunération de la production incitant à l'efficience productive

La RP était le produit du SB et du CRP jusqu'en mars 1993. Bien que le calcul du CRP effectué par chaque unité de travail (*chôku* jusqu'en 1987, puis section) soit complexe [Nomura, 1993], les déterminants en sont : le temps réel de production, le volume de production et le temps standard. En principe, la réduction du temps réel de production et l'augmentation du volume de production ont un effet positif sur la rémunération, et la réduction du temps standard, un effet négatif. Dans ce système, on doit réduire le temps réel de production pour augmenter l'efficience productive et, par là, la RP, étant donné le volume de production et le temps standard.

Ainsi la gestion de l'efficience productive se focalise-t-elle sur le temps réel de la production, produit de la durée de travail et du nombre des opérateurs, et sur le temps standard qui sert de référence pour mesurer l'efficience productive qui représente la productivité par heure d'une unité de travail.

En surveillant le mouvement de ce coefficient de l'efficience productive des unités de travail, la direction (*conseil bu-aï*) impose aux ateliers une réduction du temps standard et du nombre des opérateurs comme norme de *kaïzen* en fonction de règles. Ainsi un enchaînement *kaïzen*-productivité-salaire se déclenche-t-il [Shimizu, 1995]. Par des activités de *kaïzen*, l'efficience productive de l'unité de travail (*chôku*) s'élève de sorte que son CEP (coefficient d'efficience productive) augmente, ce qui donnera une RP plus élevée. Une fois que son CEP dépasse un certain seuil (la moyenne des CEP du meilleur groupe composé par 20 % des unités de travail), le temps standard de cette unité sera réduit jusqu'à ce que le CEP devienne la moyenne de ce groupe : celle-ci constitue le CRP de ce groupe, de sorte que cette opération n'affecte pas leur salaire. Mais, d'un côté, la direction ordonne à cette unité de réduire le nombre des opérateurs et, de l'autre, les autres sections effectuent des activités de *kaïzen* pour élever leur efficience productive (CEP), car la norme de *kaïzen* de l'efficience productive est imposée par la direction, comme le montre la gestion du prix de revient examinée dans le chapitre précédent. Par la gestion de l'efficience productive et par l'émulation entre les secteurs, l'efficience productive de l'unité en question baisse à nouveau à tel point que son CEP sera classé dans un groupe inférieur. L'unité de travail ou plutôt la section qui la gère s'efforcera alors, pour accroître à nouveau son CEP, d'élever, une nouvelle fois, l'efficience productive par des activités de *kaïzen* des tâches et des procédés de fabrication. Ainsi s'amorce un autre cycle (voir encadré).

L'enchaînement *kaïzen*-productivité-salaire

Partage des gains de Kaïzen

Kaïzen → Hausse de la productivité par tête-heure → Hausse du CEP, et donc du salaire mensuel

Hausse de la productivité par tête-heure ↓ **Gestion de l'efficience productive**

Réduction du temps standard et du nombre des agents de fabrication → Baisse du CEP Émulation entre les sections → Kaïzen

---

Toutefois, une telle gestion avait pour effet de faire travailler les ateliers avec le minimum nécessaire d'opérateurs tout en élevant leurs cadences de travail, du fait précisément du *kaïzen*.

Pourtant, elle a bien fonctionné pendant presque quarante ans, permettant d'augmenter la productivité et de contenir l'augmentation du nombre des opérateurs malgré la croissance

COEFFICIENT DE LA RÉMUNÉRATION
DE LA PRODUCTION (CEP)

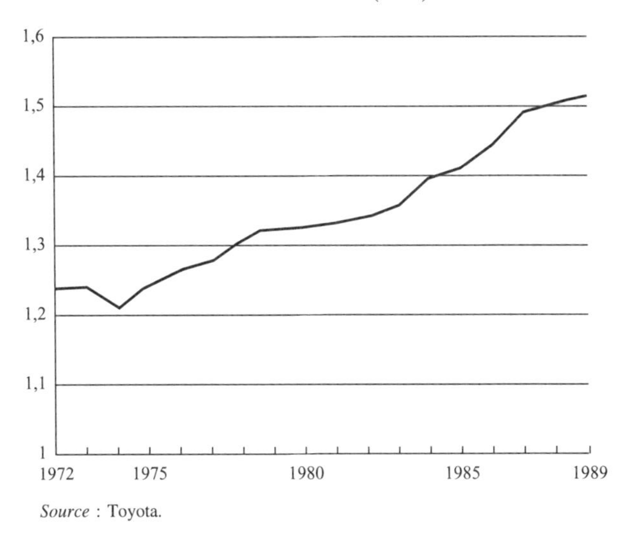

Source : Toyota.

rapide de la production. Outre la garantie d'emploi des salariés, quatre des conditions suivantes étaient remplies :

— des relations industrielles stables fondées sur une confiance réciproque entre le patronat et le syndicat (*Déclaration commune* de 1962) ;

— une formation suffisante des agents d'encadrement aux activités de *kaïzen*, y compris à la méthode de détermination des tâches et du temps standard ;

— la création de bonnes relations humaines dans l'atelier, pour que tout le monde participe au *kaïzen*, ou du moins l'accepte et c'est aussi une des fonctions des agents d'encadrement ;

— enfin, un principe du partage des gains réalisés par les activités de *kaïzen*.

Ainsi, l'incitation au *kaïzen* et le partage de gains de productivité sont-ils institutionnalisés dans le système de salaire mensuel.

Bonus et gratification de retraite

Le versement des bonus est une pratique répandue au Japon, bien que le montant en soit différencié selon la performance des entreprises et leur taille : les grandes entreprises performantes versent plus de bonus que celles qui le sont moins et les PME. Par conséquent, on pourrait considérer que le bonus est une partie variable du coût salarial annuel, susceptible de s'ajuster suivant la rentabilité des entreprises. Mais, chez Toyota, le coefficient de paiement annuel reste stable pendant longtemps : il est équivalent à peu près à six mois de salaire standard. Il s'ensuit que la marge de manœuvre des entreprises n'est pas aussi grande qu'on l'imagine. De fait, le bonus constitue pour les salariés une partie stable de leur revenu annuel qui leur permet d'acheter des biens durables onéreux et constitue aussi la source principale de leur épargne. Par conséquent, il est difficile pour les entreprises d'en faire fluctuer le montant d'une manière importante, à moins que l'entreprise soit en difficulté.

Outre le bonus, les salariés recevront un autre salaire, gratification de retraite, à la fin de leur carrière. Dans le cas de Toyota, elle est déterminée par le produit du dernier salaire de base et du coefficient des années de services. Si le salaire de base est 200 000 yens (environ 9 000 francs) lors de sa mise à la retraite après trente-cinq ans de services, ce qui lui assure un coefficient 95 (90 pour les trente ans), sa gratification de retraite deviendra 19 millions de yens (environ 850 000 francs ; données pour 1998). Après sa mise à la retraite, il touche aussi la pension de retraite liée à la couverture sociale pour laquelle lui et Toyota ont cotisé et dont le montant est calculé sur la base de son dernier salaire standard.

Le salaire à l'ancienneté existe-t-il ?

Le système de salaire japonais est souvent qualifié de « salaire à l'ancienneté ». Certes, le salaire mensuel toyotien augmente d'une année à l'autre, mais il n'est pas fonction de l'âge des salariés au sens propre.

Premièrement, le salaire de base progresse parce que le syndicat en obtient l'augmentation par le *shunto* ; la rémunération de la production augmente aussi en raison de la progression de la productivité réalisée par le *kaïzen*. Les paramètres pris en considération lors du *shunto* sont le taux de variation des prix, la rentabilité de Toyota et la progression de l'efficience productive. Bien que l'augmentation du salaire plus rapide que le taux d'inflation ne soit pas garantie par la direction, cela est quasi réalisé puisque la rentabilité est assurée.

Deuxièmement, concernant l'évolution des salaires le long du cycle de vie, l'augmentation est déterminée par le niveau hiérarchique (ou la promotion) et la note du *sateï*. Reste à savoir, pour pouvoir le qualifier de salaire à l'ancienneté, ce qui détermine le niveau et la note du *sateï*. Comme le *sateï* évalue l'état de services, la compétence technique, le savoir-faire des salariés et la participation aux activités collectives tel le CQ, l'ancienneté peut être considérée comme un des éléments du *sateï*, de sorte que la courbe de salaire reflète en partie leur ancienneté. Quant à la promotion, l'opérateur sera promu tôt ou tard jusqu'au niveau 7B, mais, après ce niveau, une sélection arrive et la promotion dépendra de ses notes de *sateï*. S'il reste toujours au niveau 7B, son salaire de base progresse quand même grâce au *shunto*, mais lentement du fait de la répartition différenciée suivant les niveaux et le *sateï*. S'il a la chance d'être promu au niveau supérieur, son salaire croît d'autant plus vite que son niveau est élevé, de sorte que sa courbe de salaire aura une pente plus rapide que celle du salarié de rang inférieur. La courbe de salaire sur le cycle de vie donne alors l'apparence d'évoluer à l'ancienneté.

Par conséquent, même si on suppose que l'ancienneté représente la compétence accumulée des salariés durant leurs services et leur formation, la hausse annuelle des salaires en fonction de l'ancienneté est loin d'être assurée sans conditions.

Emploi à vie ?

Certes, l'emploi des salariés est garanti par la direction. Mais la rotation (*turn-over*) des jeunes salariés est élevée, même chez Toyota. En revanche, nombreux sont les salariés qui sont embauchés après avoir quitté un autre emploi : 15 % des nouveaux cols bleus en 1975, 39 % en 1980 [Tanaka, 1982b].

Ainsi, l'emploi à vie au sens où on l'imagine, c'est-à-dire des Japonais entrant dans une entreprise immédiatement après leur scolarité et y travaillant jusqu'à leur mise à la retraite, doit être relativisé.

L'emploi à vie comporte plusieurs effets favorables : comme les salariés travaillent jusqu'à leur retraite avec une motivation élevée, Toyota peut investir dans la formation des ressources humaines ; le syndicat réclame la croissance stable à long terme des salaires, ce qui ne pèse pas lourdement sur le coût salarial ; et la direction peut négocier avec le syndicat une stratégie de long terme. Autrement dit, l'emploi à vie constitue une condition pour construire une communauté d'entreprises, composée par les administrateurs et les salariés qui ont un intérêt commun et réciproque, comme le montre la *Déclaration commune*.

Pourtant, il suffit pour Toyota que les salariés motivés et capables d'initiatives travaillent jusqu'à leur mise à la retraite. Chez Toyota l'emploi à vie veut dire que la direction ne renvoie pas les salariés, mais elle n'empêche pas des salariés de la quitter. Ainsi, les jeunes salariés qui ne peuvent supporter ce style de travail quitteront Toyota, alors que d'autres qui recherchent la stabilité et un salaire élevé resteront ou entreront chez Toyota pour y achever leur carrière professionnelle. La gratification de retraite et la pension influencent sans aucun doute leur décision, car elles augmentent en fonction des années de service : on veut travailler plus de trente ans en tenant compte de l'âge de la retraite (60 ans).

En ce qui concerne les employées, la plupart d'entre elles, diplômées d'études secondaires ou d'Université, quittent Toyota lors de leur mariage, donc à l'âge d'environ vingt-cinq ans suivant l'habitus régional. Dans le cas de Toyota, c'est donc une partie des cols bleus, les cols blancs masculins, et une petite partie des femmes, qui sont employées à vie au sens propre, qui constituent le noyau dur des salariés.

Des relations industrielles en synergie avec les méthodes de production

Le système de salaires, la promotion et le *sateï* constituent trois dispositifs institutionnels pour impliquer les salariés dans le travail et le *kaïzen*. Mais, pour la direction qui a connu le grand conflit de 1950, ils ne sont pas suffisants pour les mobiliser. Après le grand conflit, Toyota utilisait diverses activités de relations humaines pour former une collectivité de travail solide et ses dirigeants.

Les principales activités sont menées par huit corps, *Ho-Hatchi-Kaï* (cf. chapitre II). Dans chacun d'entre eux, se forment des *leaderships* et des relations humaines dépassant le lieu de travail et le niveau de qualification. En outre, les ateliers et les foyers pour les jeunes salariés constituent aussi un lieu d'activités de relations humaines pour intégrer les nouveaux embauchés dans une collectivité de travail. Un salarié est ainsi pris par le réseau des activités de relations humaines et formé en *Toyota Man*. Si l'on admet que l'organisation est structurée par des relations humaines, Toyota a parfaitement raison de donner de l'importance à ces activités. Mais cela, aux dépens de leur vie privée et en privant les salariés d'une individualité originale.

Ces relations industrielles solidement structurées sont les formes institutionnelles toyotiennes par lesquelles les salariés sont intégrés, formés et incités à s'investir dans le travail et dans le *kaïzen* tout en éprouvant un sentiment communautaire et souvent familial. L'esprit de la *Déclaration commune* de 1962 se matérialise ainsi dans le système de salaires et les activités de relations humaines. La stabilité des relations industrielles et des salariés ainsi formés soutient le développement du SPT et sa performance, et donc l'organisation flexible du travail. En effet, les salariés ne se trouvent pas dans une serre protégée par l'emploi à vie et le salaire à l'ancienneté, mais ils sont incités toujours à s'engager dans le travail, y compris les activités de *kaïzen*, et dans une course à la promotion à travers les institutions diverses structurant des relations industrielles toyotiennes.

IV / Gestion de l'organisation industrielle

Le modèle industriel n'est pas déterminé seulement par l'organisation interne de l'entreprise, mais aussi par les relations avec ses fournisseurs et ses vendeurs ainsi que ses actionnaires et financiers. Par conséquent, le mode d'organisation de toutes ces composantes et la cohérence entre elles affectent la performance de l'entreprise et définissent l'individualité de son organisation industrielle. Le SPT est soutenu par bien d'autres éléments que l'organisation de la production et du travail, et une « complémentarité institutionnelle » [Aoki et Okuno, 1996] solide entre ses composantes est indispensable.

Le groupe Toyota

La relation des firmes principales japonaises avec leurs fournisseurs et leurs distributeurs se caractérise souvent par ce qu'on appelle le *keïretsu*. Mais ce terme est mal compris par les Occidentaux parce qu'ils le considèrent comme le successeur des *zaïbatsu* (conglomérats industriels, gérés par une famille fondatrice) antérieurs à la Seconde Guerre mondiale ou comme un groupe d'entreprises.

Bien que l'acception du *keïretsu* soit floue même pour les Japonais, ce terme signifie en général une relation verticale, stable et exclusive, entre une firme principale et les firmes qui y sont associées à un titre quelconque. On peut distinguer trois types de *keïretsu*. Premièrement, on parle de *keïretsu en capital* quand la firme principale organise des firmes par sa participation à leur capital. C'est le cas des filiales (dont la participation dépasse 50 % des actions) et des sociétés affiliées (dont la participation est de 20 % à moins de 50 %). Deuxièmement, le *keïretsu productif* est un réseau de sous-traitance dans la mesure où la transaction entre le donneur d'ordre et ses fournisseurs est régulière et se maintient à long terme. Le dernier est le *keïretsu commercial* désignant le réseau de ventes qui englobe des concessionnaires stables et exclusifs. Ces deux derniers organisent non seulement des filiales mais aussi des firmes indépendantes et autonomes.

En revanche, le *groupe d'entreprises* est un rassemblement des entreprises qui ont des liens étroits entre elles. Mis à part la définition juridique japonaise du *kigyo-shudan* qui englobe les filiales et les sociétés affiliées, on peut distinguer deux catégories de groupes d'entreprises. La première comprend six groupes dont les membres se rassemblent autour de leur banque principale : trois groupes successeurs du *zaïbatsu* (Mitsuï, Mitsubishi et Sumitomo) et trois nouveaux groupes (Fuyo de Fuji Bank, Sanwa, Daïichi Kangyo Bank). La deuxième catégorie rassemble tous les autres groupes « indépendants », organisés d'une manière verticale par leur entreprise principale puissante telle que Sony, Hitachi, Toshiba, Matsushita, Toyota, Nissan, Honda, pour ne citer que les entreprises célèbres. Cependant, le *keïretsu*, le *kigyo-shudan* et le groupe d'entreprises s'enchevêtrent souvent d'une manière complexe.

Le kigyo-shudan

En 1996, il comprend 216 filiales et 142 sociétés affiliées, alors que le groupe Toyota tel que Toyota le définit traditionnellement ne comporte que quinze firmes.

Ces firmes constituent le noyau dur de l'appareil productif de Toyota et entretiennent des relations étroites selon trois canaux : capital, relations humaines et transactions.

• *Sur le plan du capital*, la participation est une méthode classique de contrôle d'une firme. Mais Toyota ne détient qu'un peu plus de 20 % du capital des fournisseurs du groupe, TALW, ASW, TMW, Aïshin et Denso, alors que sa

Les Quinze firmes du groupe Toyota en 1996

	Participation de Toyota (%)	*Capital (millions de francs)*	*CA (millions de francs)*	*Effectifs*	*Produits/ Activités*
Toyota	-	13 576	378 910	69 000	VP et VU
TALW	23,12	1 492	22 755	9 400	Métiers à tisser, VI, VP
ASW	24,5 *	1 191	7 448	3 300	Aciérage et fonderie
TMW	22,78	1 011	6 520	4 500	Machines-outils, pièces/composants
TAB	45,36	414	25 270	8 400	Carrosserie, VU, pièces
TT	22,44	1 197	7 279	2 000	Commerce
Aïshin	22,65	1 583	22 720	11 100	Pièces/composants
Denso	23,15	5 343	58 592	40 300	Composants électro-électriques
TB	1,40*	208	1 814	1 300	Cotonnier, pièces
TRE	49,00*	1 131	284	100	Immobilier
TCRDL	54,00	143	743	950	R & D
Kanto A	49,15	326	14 401	6 300	Carrosserie, VP, pièces, maisons
TG	42,13	859	9 414	6 700	Résine, caoutchouc, liège
Hino	11,09	1 258	27 938	9 300	Véhicules industriels et VU
Daïhatsu	33,44	1 352	32 317	11 400	VU et VP

Source : Toyota et Sato [1988].

* : Le taux de participation est celui de 1981-1982. Pour calculer le capital et le chiffre d'affaires (CA) en francs, un franc est évalué à 21 yens.

participation aux TAB et Kanto AW est élevée. Les participations croisées tissées entre elles depuis la fin des années soixante n'ont pas changé. La moitié des actions de TAB et Kanto AW sont détenues par le groupe Toyota, alors que la part du groupe dans les actions des autres firmes ne dépasse pas 40 %. Quant à Daïhatsu et Hino, la participation de Toyota à leur capital ne dépassant pas le plancher de 20 %, elles disposent d'une autonomie dans leurs affaires. Mais en 1995, sa participation au capital de Daïhatsu s'est élevée à 33,4 %, de sorte que celle-ci est devenue une des sociétés affiliées, bien que cela ne change pas sa stratégie de produits. En effet, elle est en principe constructeur de véhicules mini et bas de gamme munis de sa propre marque, montant les VP et VU de Toyota. Cette diversité dans la participation montre que le lien entre les firmes n'est pas seulement déterminé par le capital.

• *Sur le plan des relations humaines*, on peut d'abord constater que Toyota leur envoie des administrateurs. D'après Yoshinobu Sato [1988], la part des administrateurs d'origine Toyota était, au début des années quatre-vingt, de 50 % chez TAB, de 40 % chez Denso, d'environ 30 % chez Kanto AW et TG, de 20 à 30 % chez ASW et Daïhatsu, alors qu'elle n'était que de 10 % chez Hino et TMW. S'y ajoutent la réunion des P-DG du groupe tenue une fois par mois dans la matinée, et la réunion des administrateurs organisée une fois par mois à midi, au cours desquelles s'échangent des informations portant sur la stratégie du groupe. À un niveau inférieur, elles ont aussi des organes regroupant les cadres par fonction (gestion du personnel, gestion du travail, exploitation et affaires financières) qui échangent leur savoir-faire de gestion organisationnelle. C'est cette fréquence des interactions entre personnes de haut en bas des firmes qui semble consolider les liens communautaires et la conscience partagée de la stratégie du groupe, de la qualité, de la compétitivité et de la technologie.

• *Sur le plan des transactions*, TAWL, ASW, TMW, TAB, TT, Aïshin, Denso, TB, Kanto AW et TG appartiennent à l'Association Kyoho, groupement des fournisseurs de premier rang, et donc au *keïretsu productif* de Toyota. Pourtant, cela ne signifie pas que leurs ventes sont fort dépendantes du groupe Toyota, mis à part bien entendu TAB et Kanto AW. La part des ventes au groupe Toyota dans le chiffre d'affaires de Denso n'était que de 59,5 % en moyenne entre 1979 et 1985 avec une tendance à baisser, alors que celle d'Aïshin était de 82,8 % durant la même période avec une tendance inverse. Il existe donc une diversité dans leur stratégie commerciale [Shioji, 1987]. Le réseau de « sous-traitance » pourrait ainsi se caractériser par le déplacement d'une configuration d'« arbre » (structure pyramidale) à une autre de « quasi-arbre » (diversification des clients des fournisseurs de premier rang), comme le décrit Masahiko Aoki [1984]. Appartenir à un *keïretsu* ne signifie donc pas nécessairement produire uniquement pour un donneur d'ordres.

Sans banque principale

Toyota est connue pour sa gestion sans dette bancaire depuis le milieu des années soixante-dix, ayant un taux d'autofinancement de plus de 60 %. Certes, Toyota a émis des emprunts plusieurs fois depuis 1986 pour financer l'investissement en équipements et la construction d'usines au Japon ainsi qu'à l'étranger, mais c'était pour bénéficier du coût financier très bas à cette époque. En effet, elle dispose de réserves internes six fois plus grandes que ses emprunts : plus de cent milliards de francs en 1997. Certes, en 1996, les trois banques, Sakura (ancienne Mitsuï Bank fusionnée avec Kobe-Taïyo Bank), Sanwa et Tokaï, possèdent respectivement 4,92 % de ses actions. Elles figurent après son premier actionnaire TALW (5,10 %), et quatre sociétés du groupe Mitsuï détiennent 12,2 % du capital, un tiers de la part de ses premiers dix actionnaires. Donc, Toyota a un lien relativement étroit avec le groupe Mitsuï, et même assiste depuis 1982 à la réunion périodique de ses P-DG. Mais cela, sans perdre son autonomie. En effet, la part des firmes du groupe Toyota et des deux autres banques, estimée à plus de 18 %, dépasse celle du groupe Mitsuï [Okumura, 1993]. Le fait que les organisations financières détiennent au total 61,41 % des actions de Toyota montre aussi que ses actions sont dispersées parmi de multiples organisations financières. Enfin, le financement des firmes du groupe Toyota, si elles en ont besoin, est assuré par plusieurs banques : Sakura, Sanwa, Tokaï, Banque du crédit à long terme et Banque de développement japonaise [Sato, 1988]. Par conséquent, on peut dire que Toyota et son groupe n'ont pas de « banque principale » au sens de Masahiko Aoki [1991], et qu'aucune banque ou actionnaire n'a de prise sur la firme. C'est une des caractéristiques du toyotisme.

Itaku-Seïsan et assembleurs du groupe

Les assembleurs de Toyota produisent plus de 40 % des véhicules de Toyota. Ces entreprises ne sont pas de simples sous-traitants ou des carrossiers de Toyota. Ayant leur centre de R & D ou leur bureau technique, elles disposent en commun des informations et du savoir technologiques, élaborent des designs, développent de nouveaux véhicules.

L'idée d'un nouveau modèle est présentée par Toyota aux assembleurs du groupe. À partir d'elle, certains d'entre eux participent à la conception quand le nouveau modèle correspond à leur compétence. Ainsi, Toyota et Kanto AW sont compétents dans la conception des VP ; TAB, Hino et Araco le sont dans celle de caisses de VU. Une fois présentée la conception de base, ils dessinent ensuite la configuration de ce nouveau véhicule, en concurrence les uns avec les autres. Après que le meilleur dessin a été choisi, ils conçoivent la carrosserie, en choisissant les composants, développés par des firmes du groupe. Une fois sélectionnée la carrosserie à fabriquer, Toyota détermine l'usine où monter ce modèle, en tenant compte de l'efficience productive, du coût de la main-d'œuvre, du prix de revient, de la qualité des usines, mais aussi de l'optimisation globale de la production au niveau du groupe.

Or, même si Kanto AW est choisi comme fabricant d'un modèle, il peut ultérieurement avoir à en abandonner le montage. Car une *rotation de produits* est organisée entre les usines du groupe Toyota afin de niveler la charge des lignes de montage du groupe, d'une part, en tenant compte de la rentabilité des assembleurs et de la charge des usines et, d'autre part, parce que Toyota ne veut pas qu'un assembleur ou une usine monopolise le savoir-faire d'un seul modèle quel qu'il soit (à quelques exceptions près). Dans le cas de Kanto AW, l'usine recevrait un modèle qu'une autre firme fabriquait et lui céderait un modèle qu'elle montait, en moyenne tous les deux ans [Seïke, 1995].

D'après Toyota, la capacité de conception de ses assembleurs étant loin de la sienne, ils ne sont considérés que comme « usines d'Itaku-seïsan », et non comme des constructeurs automobiles tel Daïhatsu, mais ils n'en ont pas moins développé une capacité de conception. D'autant plus que, depuis le début des années quatre-vingt-dix, le marché automobile se porte vers leur domaine : monospaces, fourgonnettes, voiture de loisirs, tout-terrain, etc.

Gérer les fournisseurs

Environ 70 % des pièces et composants d'un véhicule de Toyota sont approvisionnés par ses fournisseurs suivant le principe de JAT ou à flux tendu sans contrôle de la qualité des pièces à la porte de l'usine de montage. Par conséquent, leur qualité et prix retentissent sur la compétitivité des véhicules. Pour cette raison, les fournisseurs doivent être capables de répondre aux normes techniques et de prix exigées par Toyota. Une telle capacité a été historiquement construite par leur collaboration avec Toyota.

De telles relations sont connues sous le terme « partenariat », relation coopérative de long terme. Cette convention partagée par les constructeurs automobiles japonais ne peut cependant pas être généralisée comme l'un des traits distinctifs de la gestion « japonaise » [Asanuma, 1997]. Toyota continue à donner des commandes à ses fournisseurs en tenant compte de l'état de leurs affaires et de leur rentabilité, dès lors qu'ils sont capables de fournir les pièces commandées. Pour Toyota, la continuité des transactions est à la base de leur coopération à long terme et permet d'inciter les fournisseurs à développer leur capacité à répondre à ses exigences.

Association Kyoho et « groupe collaborateur »

Les fournisseurs de premier rang de Toyota s'affilient presque tous à l'une des trois associations Kyoho (abréviation de « collaborateurs de Toyota ») organisées par région, puis réorganisées en une seule association en 1998. Presque tous, car leur adhésion n'est pas obligatoire. En effet, Toyota achète un peu moins de 10 % des pièces à des fournisseurs qui n'y adhèrent pas [Asanuma, 1997].

Dans l'association de Tokaï, étudiée par Yoshinobu Sato [1988], les membres sont regroupés dans une des trois branches : branche des pièces moulées et embouties, celle des pièces spécifiques et fonctionnelles (freins, batteries, câbles, composants électro-électriques, roues, etc.), et celle d'autres pièces et composants et des matières premières (verres, peintures, sièges, tapis, etc.).

Par ailleurs, on sait [Asanuma, 1984a ; b] qu'il existe trois catégories de fournisseurs : ceux à qui Toyota achète des pièces ou composants sur catalogue, ceux qui peuvent dessiner les pièces commandées (*drawings approved suppliers*), et ceux qui n'ont pas cette capacité et à qui Toyota prête le plan des pièces (*drawings supplied suppliers*). Les fournisseurs à qui le dessin est donné, sous-traitants au sens propre, sont appelés chez Toyota « usines collaboratrices » ou « fabricants collaborateurs », alors que le terme « achat » est réservé aux transactions avec les fournisseurs dont le dessin est approuvé, y compris les firmes du groupe Toyota ainsi que les équipementiers autonomes et les fournisseurs de matières premières.

En règle générale, la relation entre Toyota et ses fournisseurs se fonde sur leurs transactions à long terme stables, quelles qu'elles soient. Cette stabilité est consolidée par divers moyens, variables selon les fournisseurs. Sans parler des filiales et sociétés affiliées, Toyota participe au capital des principaux fournisseurs « autonomes » en capital et en matière de gestion.

Quant aux filiales et sociétés affiliées de Toyota, 24 sur 61 des firmes du groupe collaborateur, on comptait en 1980 en moyenne quatre administrateurs d'origine Toyota et la moitié des firmes étaient gérées par un président-directeur général venu de Toyota [Sato, 1988]. Pour leur part, les firmes du groupe collaborateur recevaient de Toyota de deux à trois administrateurs en moyenne. Ce faisant, du savoir-faire technique, organisationnel et gestionnaire est transféré du donneur d'ordre aux firmes collaboratrices.

En revanche, les activités de l'association se limitent à nouer de relations amicales entre ses membres et à mener ensemble des études sur les nouvelles normes technologiques et de sécurité, les méthodes de réduction du prix de revient et d'amélioration de la qualité.

Le fait que la majorité des fournisseurs y participent relève d'objectifs tels que l'accès aux informations émanant de Toyota, aux ressources et savoir-faire concernant la gestion de la production, aux méthodes de *kaïzen*, au système de production, etc. On comprend ainsi le zèle des fabricants collaborateurs, les plus faibles en technologie, pour participer aux activités de l'association.

Commande parallèle

Toyota donne en général la commande d'un même genre de pièces en même temps à plusieurs fournisseurs, même si un seul fournisseur est retenu pour une pièce particulière d'un modèle. Certes, la continuité de la fourniture de pièces pour le modèle renouvelé semble de règle, mais ce n'est pas toujours le cas. Par exemple, si les fournisseurs des tableaux de bord étaient la firme A et B pour la Crown, B et C pour la Corona, C et D pour la Corolla, etc., ces fournisseurs A, B, C et D sont interchangeables dans leur capacité à concevoir et à fabriquer d'autres tableaux de bord que les leurs. Ils sont donc capables de prendre la place d'un autre lors du renouvellement de la voiture [Itami, 1988]. Il s'ensuit que, pour renouveler leur contrat, ils doivent être capables de concevoir une pièce de meilleure qualité à un prix plus bas que leurs concurrents.

Or, ce régime de *commande parallèle* n'était pas appliqué systématiquement. L'incendie d'une usine d'Aïshin en février 1997 l'a mis en évidence. Elle produisait la *proportionning valve* de tous les véhicules Toyota, de sorte que toute la production de Toyota a été arrêtée pendant une semaine, arrêt relativement court parce que Aïshin, certains de ses sous-traitants ainsi que des fournisseurs d'autres constructeurs sont arrivés à en produire en très peu de temps.

D'après une explication courante, elle serait pratiquée pour éviter l'interruption de la fourniture des pièces provoquée par un quelconque accident intervenant chez un fournisseur, et pour entretenir la concurrence tant au niveau de la qualité que du prix. Mais cet incendie suggère que Toyota donnait plus d'importance à la deuxième raison. S'il y a concurrence, le fournisseur doit améliorer la qualité et contenir le prix de la pièce pour obtenir le contrat de fourniture, car Toyota peut comparer les coûts de production et la qualité pour choisir ses fournisseurs et mener ainsi la négociation sur le prix de la pièce en sa faveur.

La commande parallèle sert donc à éliminer le risque que des fournisseurs monopolistes lui imposent le prix des pièces, ce que Hiroyuki Itami appelle concurrence par la « main visible », c'est-à-dire sous le contrôle de Toyota.

Du côté du fournisseur, une fois obtenu le contrat pour une pièce, chacun essaie par la suite d'en obtenir un autre pour d'autres pièces. Il étend ainsi son savoir-faire technologique au voisinage de la première pièce, puis forme sa capacité de conception.

Participation à la conception et prix d'une pièce

Aux fournisseurs de « plan approuvé », la spécification technique et le prix cible des pièces à fournir sont communiqués avant que le premier dessin du modèle ne commence, c'est-à-dire de trente-six à vingt-quatre mois avant le lancement de la production en série (voir chapitre III). Parmi ces candidats est (ou sont) élu(s) un (ou des) fournisseur(s) pour une pièce qui, s'il est besoin, collabore(nt) ensuite avec les ingénieurs responsables de Toyota pour mettre au point le dessin, le fonctionnement et la qualité de la pièce. Même avec une telle collaboration, la propriété du dessin appartient aux fournisseurs de « plan approuvé ». Ils doivent entièrement prendre en charge la qualité et le fonctionnement de la pièce à fournir.

Quant aux fournisseurs de « plan donné », la division d'achat de Toyota les choisit en prenant en considération l'état de leurs affaires (volume de production, rentabilité, capacité, qualité, etc.) pour assurer une quantité qui leur permet au moins de survivre. Ils participent ainsi aux procédés de conception après que le premier dessin est achevé. Il s'agit pour eux d'organiser les procédés de fabrication pour pouvoir produire la pièce dessinée.

La structure du prix d'une pièce livrée par un fournisseur de « plan approuvé » peut être représentée par la formule suivante, chère au principe de *full cost pricing* :

$$p = c\,(1 + m) + a$$

où c représente les coûts variables unitaires des coûts des matières premières et de l'énergie, des pièces achetées et de la main-d'œuvre ; m, le taux de marge brute englobant les parts de marge nette et les coûts de gestion et de vente ; a, l'amortissement par pièce des machines-outils et des matrices (ou moules) dans la mesure où elles sont utilisées uniquement pour la fabrication de cette pièce. Le taux de marge brute est conventionnellement fixé entre les deux parties, et la somme de l'amortissement est calculée par la division du coût des matrices ou des machines-outils en fonction du volume prévu de pièces.

Si un fournisseur arrive par lui-même à concevoir une pièce moins chère que le prix cible dans l'étape de conception (suggestion VE, *value engineering*, c'est-à-dire analyse de la valeur dans la phase de conception), la différence entre les deux prix sera distribuée au fournisseur en tant que prime pour une année, ou six mois si cette baisse est réalisée avec la collaboration de Toyota. Il en est de même de la rectification du dessin que le fournisseur propose après le lancement de la production en série (suggestion VA, *value analysis*, c'est-à-dire analyse de la valeur après le lancement de la production en série). Alors que le prix précis est fixé dans la négociation par le temps de production et le coût par minute, une telle prime g sera ajoutée au prix précis, à savoir :

$$\text{Prix effectif} = \text{prix précis} + g = c\,(1 + m) + a + g$$

Le fournisseur qui a réalisé une telle réduction du prix de la pièce par sa R & D peut ainsi obtenir un gain g. Malgré l'extinction de la prime au bout d'une année ou de six mois, il n'y a pas de doute qu'une telle règle du jeu incite les fournisseurs de « plan approuvé » à améliorer leurs dessins et, par conséquent, la qualité et le prix de revient des pièces à fournir.

Une autre source, plus générale et plus fondamentale, du gain supplémentaire se trouve dans le coût c. Si un fournisseur arrive à réduire le coût direct de production par une rationalisation de sa production, c'est-à-dire soit par une simple réorganisation de celle-ci, soit par un investissement en équipements pour obtenir des gains de productivité par tête (un tel investissement ne doit cependant pas augmenter le prix de la pièce), la différence entre le coût précédent et le coût nouveau lui rapportera une marge.

Il en est de même des fournisseurs de « plan donné » auxquels s'appliquent aussi la structure du prix et les conventions mentionnées, après avoir cependant éliminé du coût c les composants qu'ils n'ont pas dépensés.

Partage des gains du progrès technique et dynamisme des fournisseurs

Or, le fournisseur ne peut profiter éternellement de cette marge supplémentaire dans sa totalité, car intervient la négociation semestrielle sur le prix des pièces. En effet, un des moniteurs de la division d'achat et/ou de la division de gestion de la production visite régulièrement les fournisseurs dont il assure le « monitoring », pour saisir l'état de la production ainsi que pour leur donner, au besoin, des conseils techniques en matière d'organisation de la production. Toyota peut d'ailleurs comparer la structure du prix de revient du même genre de pièces chez ses fournisseurs grâce au régime de commande parallèle. Toyota entreprend alors une négociation et tient compte de l'état de leurs affaires pour aboutir à un accord avec ses fournisseurs. En effet, la firme ne poursuit pas seulement des gains à court terme par la réduction du prix des pièces, mais aussi des gains à long terme obtenus par l'investissement du fournisseur dans le progrès technique. Toyota lui laisse une partie convenable des gains : la baisse du prix ne doit pas priver le fournisseur de la possibilité de progrès technique et de croissance [Asanuma, 1997].

Cette règle du jeu découle en principe de la même idée que la gestion toyotienne du prix de revient et de l'efficience productive. Le fournisseur lui aussi peut profiter de la marge supplémentaire lorsqu'il a réussi à baisser le prix de revient par un *kaïzen* portant sur son processus de production. Bien entendu, cette marge supplémentaire est plus ou moins cachée vis-à-vis de Toyota. En général, le coût direct de production des fournisseurs de « plan approuvé » est opaque puisqu'ils fournissent des pièces « boîte noire » en investissant en équipements à leurs propres frais, alors que celui des fournisseurs de « plan donné » est plus ou moins saisi par Toyota, puisque leur processus de production est soumis à l'analyse des ingénieurs et moniteurs de Toyota. La marge est donc plus élevée chez les fournisseurs de « plan approuvé » que chez les fournisseurs de « plan donné ». C'est une motivation pour les fournisseurs, même les moins avancés, afin d'augmenter leur compétence technique et productive, d'investir dans la rationalisation de leur production, puis dans la R & D de produits.

Les règles du jeu dans la relation transactionnelle toyotienne — commande parallèle et existence de concurrents potentiels, rémunération des suggestions VE et VA et négociation tous les six mois du prix des pièces — incitent ainsi les fournisseurs à investir dans la R & D et/ou à rationaliser leur système de production. De ce fait, les fournisseurs de Toyota ont développé leur savoir-faire technologique pour contribuer à la compétitivité croissante en prix/qualité des véhicules de Toyota, ce qui leur profite aussi.

Gérer les concessionnaires

La production est validée par la vente. Même si le système productif est performant en productivité et qualité, le constructeur est pénalisé quand ses produits ne se vendent pas. À l'inverse, il pourrait être rentable et survivre tant que ses produits trouvent leur débouché, même si leur qualité est loin d'être parfaite. Kiichiro Toyoda disait ainsi que « vendre est plus difficile que produire » (cité par [Hirotani, 1983]). Disposer d'un réseau de vente compétent et puissant constitue donc une des armes du constructeur. Là interviennent cependant des réglementations sur la relation entre le constructeur et le concessionnaire. Au Japon, les constructeurs organisent leurs propres concessionnaires sous la forme de *keïrestu commercial*. Qu'il s'agisse de filiales ou de sociétés indépendantes, ces concessionnaires ne vendent que les voitures d'un constructeur avec lequel ils entretiennent une relation transactionnelle à long terme et exclusive. De plus, le réseau de distribution constitue l'interface entre la production et les clients. Il ne s'agit pas seulement de vendre une fois pour toutes, mais aussi de les fidéliser, de saisir leurs goûts, exigences et plaintes pour les faire remonter vers la conception.

Partageant cette caractéristique du réseau de distribution japonais, celui de Toyota affiche une performance sans pareille. La firme organise trois cent neuf, soit 18 %, des concessionnaires japonais en 1997 dont dix-huit seulement sont ses filiales, et qui déploient au total cinq mille points de vente de voitures neuves et six cents pour des voitures d'occasion. Donc, un concessionnaire gère en moyenne une vingtaine de points de vente de voitures neuves (dix-huit en 1997). Au milieu des années quatre-vingt-dix, il vend en moyenne plus de 4 500 voitures par an, et un point de vente 250 environ. Ce résultat, meilleur que la moyenne japonaise, montre leur capacité de vente : moins de 20 % des concessionnaires japonais prennent environ 30 % des parts du marché automobile (40 % si on met à part les véhicules mini).

Quelles sont donc les conventions qui régissent la relation de Toyota et de ses concessionnaires, et quel est le rôle des concessionnaires dans son système de production ?

Chaînes de vente et concessionnaires

À la différence des autres constructeurs japonais, la plupart de ces concessionnaires font appel à des capitaux locaux et jouissent donc d'une indépendance de gestion. Pourtant, ils sont tous fidèles à Toyota, et leur relation avec Toyota ressemble à celle de la firme et de ses fournisseurs : leur relation transactionnelle est en principe stable et s'étend sur le long terme.

Une telle relation fut bâtie par Shotaro Kamiya, fondateur de la division des ventes de Toyota puis de la Toyota Motor Sales (TMS) et à qui Kiichiro Toyoda confia entièrement la commercialisation des véhicules. Pour lui, le plus important est la satisfaction des clients, puis celle des concessionnaires, et enfin celle de Toyota. Une telle idée lui est venue, semble-t-il, quand il a commencé à organiser le réseau de vente de Toyota. Il a dû vendre des camions de Toyota dont la qualité était plus que médiocre par rapport aux véhicules américains. Cette expérience amère a été cependant fructueuse pour construire la confiance mutuelle entre TMS et ses concessionnaires ainsi que pour mettre en place des services après-vente satisfaisants pour les clients. La philosophie de Shotaro Kamiya se perpétua même après la fusion de Toyota et TMS, en 1981.

Les concessionnaires sont regroupés, depuis 1980, en cinq chaînes, gérées chacune par un bureau de gestion de la chaîne dans la division des ventes de Toyota. Ils vendent en principe une gamme de huit à dix modèles différents. En principe, parce que plusieurs chaînes vendent les mêmes modèles. D'une part, des concessionnaires qui se soucient de leur rentabilité ont demandé à Toyota de leur permettre de vendre les voitures les mieux vendables. D'autre part, la concurrence acharnée sur le marché de moyenne gamme (voitures de 1 000 à 2 500 cm^3) a conduit Toyota à en diversifier les modèles durant les années quatre-vingt.

Sur le plan de la gestion des concessionnaires, Toyota les contrôle et les aide en saisissant leur comptabilité. Cela ne signifie cependant pas que Toyota peut gérer complètement leurs activités : la gestion de leurs affaires est plutôt fonction de la personnalité de leur P-DG. Il est ainsi arrivé qu'en imposant une norme de vente excessive à leurs représentants (*salesmen*), quelques concessionnaires aient conduit certains d'entre eux à commettre des fraudes, par exemple des ventes fictives. De tels scandales témoignent du fait que Toyota n'intervient pas trop dans la gestion de leurs affaires. En effet, la relation et le contrôle de Toyota sur ses concessionnaires se fondent plutôt sur des conventions transactionnelles.

Contrats de distribution

Le concessionnaire vend des voitures en fonction d'un objectif annuel, fixé après négociation avec Toyota et qui comprend le volume de ventes par modèle. Dans la négociation, un responsable régional du bureau de gestion de sa chaîne lui présente un objectif tenant compte de la prévision des ventes annuelles de Toyota, de la part de marché de ce concessionnaire ainsi que de ses concurrents dans sa région. Le concessionnaire présente lui aussi sa propre prévision des ventes sur la base de ses résultats antérieurs, alors que, dans la négociation, il aurait tendance à accepter l'objectif indiqué par Toyota. L'objectif de ventes annuel ainsi fixé devient, au moins pour ce concessionnaire, la norme annuelle de ventes.

Par conséquent, Toyota ne produit pas ce que les concessionnaires ont déjà vendu, mais eux vendent ce qu'ils lui ont promis de vendre. En effet, la part des véhicules produits sur commande ne dépasse et ne dépassera pas 35 % de la production totale mensuelle [Asanuma, 1997]. Car, pour Toyota, le concessionnaire devrait s'approvisionner et vendre des véhicules suivant le plan de ventes qu'il a lui-même établi en menant des activités de vente offensives. De plus, après une plainte portée à la Chambre des représentants sur la méthode du *kanban*, les autorités réglementent les transactions avec les fournisseurs à la fin des années soixante-dix : la fluctuation de la commande effective des pièces aux fournisseurs doit être contenue dans la marge de 5 % de la commande mensuelle prévue. L'existence de ce seuil ne permet pas aux constructeurs une production sur commande qui dépasse 35 % de la production mensuelle planifiée.

Marge bénéficiaire et incitation

Le prix de cession d'une voiture est de 75 % à 80 % de son prix de vente. Outre les coûts de vente et de gestion, y compris le coût salarial et celui de promotion des ventes, le concessionnaire doit investir pour la ristourne, la reprise avantageuse de l'ancienne voiture des clients ou l'offre promotionnelle d'équipements en option pour promouvoir la vente. Par conséquent, la marge bénéficiaire obtenue sur ses ventes reste très mince.

Outre cette marge d'exploitation, ils peuvent toucher une « prime incitative » à la vente dont la somme est différenciée suivant le volume des ventes, la part de marché et le taux de croissance de celle-ci. Une autre source de marge est l'inspection légale des véhicules, mais ce contrôle est payant.

En outre, Toyota emploie un système de concours et de prix pour inciter les concessionnaires à la vente : un prix pour les dix meilleurs concessionnaires dans l'ensemble et les dix meilleurs par chaîne. Bien que Toyota ne donne aux vainqueurs qu'un satisfecit et un modeste souvenir, il semble qu'ils soient satisfaits et se sentent honorés. De telles incitations pécuniaires et non pécuniaires servent en fait à mobiliser les concessionnaires et leurs représentants et promouvoir des ventes offensives.

Ventes et effet en retour sur la conception

Au début des années quatre-vingt-dix, la vente par les représentants occupait environ 80 % des ventes de Toyota, et les 20 % restants revenaient aux points de vente. Certes, la vente chez le concessionnaire a tendance à augmenter du fait du changement dans le comportement des jeunes générations, mais la vente par les représentants reste majoritaire même à la fin des années quatre-vingt-dix.

Le rôle de ces représentants ne se limite pas à la vente seule. Ils prennent en charge aussi tous les problèmes du client lors de son achat d'une nouvelle voiture : crédit pour l'achat à tempérament, reprise de l'ancienne voiture, contrat d'assurance, immatriculation, etc. En établissant une fiche du profil des clients et de leur famille (introduite vers 1960), ils saisissent l'occasion du contrôle légal de leur voiture pour proposer la possibilité de son renouvellement ou la vente d'une voiture à d'autres membres de leur famille. En même temps, ils enregistrent les plaintes de leurs clients et les problèmes techniques rencontrés sur les voitures vendues. De telles informations sont transmises par leur société au bureau de leur chaîne. Pour assurer une circulation efficace de telles informations, Toyota a mis en place un système de gestion des informations sur la clientèle. Grâce à ce système le suivi des clients est effectué par un bureau dans la division de vente. D'après Toyota, plus de 50 % de ses clients seraient fidèles à sa marque. D'après Kiyonori Sakakibara [1988], Toyota fidélise ses clients bien mieux que les autres constructeurs et échelonne mieux ses modèles de bas de gamme à haut de gamme.

Par ailleurs, les informations recueillies par ce système servent d'une manière efficace à la conception. Ainsi, l'initiative du renouvellement est prise par la division des ventes.

Un tel système de conception, tiré par le marché, est pourtant ambivalent. Cantonné au marché grand public, et prenant en compte la préférence de la majorité des clients, Toyota peut lancer des modèles qui s'adaptent mieux au marché grand public. Sans parler de la qualité élevée de ses véhicules, ce système constitue certes le point fort de la stratégie de profit toyotienne [Boyer et Freyssenet, 1999]. Cela, pourtant aux dépens d'une conception plus novatrice comme chez Honda ou Mitsubishi. Donner de l'importance au marché réellement existant conduit les ingénieurs en chef à un certain conservatisme dans la conception.

Le réseau de distribution constitue ainsi le dernier et le premier maillon du SPT. Non pas qu'il permette au constructeur « de ne plus fabriquer à l'avance pour des clients encore inconnus mais de pratiquer une "fabrication à la demande" » [Womack *et al.*, 1992], car, contrairement à l'opinion répandue par l'ouvrage de Taïchi Ohno, la vente est en quelque sorte poussée à l'encontre de l'idée de *kanban* (production tirée par l'aval).

Système de commande-production

Que Toyota ne produise pas ce qu'elle a déjà vendu ne signifie cependant pas qu'elle ne produit que suivant la prévision des ventes. Dans la sphère de la production, la commande des pièces, ajustable à la marge, est passée aux fournisseurs qui préparent ainsi la production des pièces commandées. Du côté des concessionnaires pourtant, ceux-ci doivent encore vendre les véhicules que la DGV (division de gestion de la production) leur a accordés, et déployer une stratégie de « ventes offensives ». Il arrive donc que les commandes effectives n'atteignent pas ou, au contraire, dépassent ce volume. Pour être réaliste, Toyota programme la production tous les dix jours, permettant à la marge le changement ou la mise au point de spécifications de voitures commandées au cours d'un mois.

La raison pour laquelle Toyota ne produit pas sur commande est la nécessité de niveler la production. Ses ventes fluctuent de mois en mois : celles de mars durant les années quatre-vingt sont en général deux fois plus nombreuses que celles des mois creux, janvier et août. Si la production se faisait à la commande, on devrait avoir une capacité de production correspondant au sommet de ventes, au mois de mars, et donc une surcapacité pour les autres mois, ce qui pèserait lourdement sur la rentabilité, surtout compte tenu des relations industrielles japonaises qui empêchent le *lay-off* à l'américaine, c'est-à-dire les licenciements pour ajuster la main-d'œuvre aux fluctuations de la production. Pour que la production nivelée soit mise en œuvre sans grand problème, Toyota planifie la production en plusieurs étapes.

Le plan de production annuel est établi par la prévision de la demande annuelle après analyse de la tendance des marchés automobiles internes et externes. Il détermine non seulement la production mensuelle nivelée, mais aussi l'investissement en capacité et le plan d'embauches.

Le plan de production pour un mois est établi au milieu du mois précédent par la SPV (séance de production de véhicules), après que les concessionnaires ont présenté leur plan de ventes mensuelles au service de gestion de leur chaîne. La DGV programme ainsi le volume de production des usines du groupe Toyota ainsi que celui des fournisseurs. Ces plans, munis de la prévision de la production pour les deux mois qui suivent, sont transmis aux usines et fournisseurs. Ce plan mensuel est considéré comme la commande définitive, mais ajustable à la marge près de 5 % par le jeu des *kanban*. Du côté des concessionnaires, ils s'engagent dans les activités de vente pour réaliser les ventes qu'eux-mêmes ont proposées, et qui ont été ajustées par la SPV.

Les concessionnaires passent tous les dix jours les commandes qu'ils ont effectivement obtenues. Le plan de production pour les dix jours est ainsi établi : production des premiers dix jours décidée vers le 20 du mois précédent, celui des dix jours suivants, vers le 1er du mois concerné, et celui des dix derniers, vers le 10 de ce même mois. Le programme de la production journalière s'établit trois jours à l'avance. Il est donc permis que le client change des spécifications jusqu'à trois jours avant la mise en production de son véhicule. Mais, tout cela, pourvu que le changement de la production ne dépasse pas de 5 % la production programmée. Pour sa part, le *kanban* sert à l'ajustement de la production journalière.

Ce système de commande-production toyotien est un compromis entre la production sur commande et la production en fonction des prévisions, mis au point à travers l'apprentissage historique. On pourrait dire que ce système a fondamentalement le caractère de la production planifiée, mais qu'il est rendu flexible par les ajustements effectués à travers les diverses étapes d'ajustement de la production et de la demande effective.

Le toyotisme en tant que modèle industriel

L'essentiel du modèle industriel toyotien réside dans sa gestion du prix de revient qui lui donne sa cohérence, orchestre la dynamique de l'ensemble de ses composantes : organisation de la production et du travail, relations salariales, relations avec ses fournisseurs et concessionnaires, et système de commande-production. Lesquels sont *uniques* par rapport aux organisations industrielles américaines et européennes, et même à leurs homologues japonaises. Ce modèle industriel a cinq caractéristiques fondamentales.

La première est la « confiance réciproque » entre Toyota et ses salariés, fournisseurs et concessionnaires. La deuxième se manifeste par la compétition entre les membres au sein de chaque catégorie. La troisième réside dans la capacité de R & D du groupe Toyota tout entier, y compris les assembleurs du groupe et les fournisseurs qui partagent des informations technologiques avec Toyota. La quatrième caractéristique tient aux efforts inlassables du *kaïzen* pour réduire le prix de revient ainsi que pour élever l'efficience productive et la qualité. La dernière souligne le fait que les gains obtenus par *kaïzen* sont partagés entre Toyota et ceux qui les ont réalisés. Là se trouve la nature du management toyotien : Toyota impose à ses salariés et fournisseurs une baisse du prix de revient, à ses concessionnaires une vente offensive, mais elle rémunère leurs efforts. C'est ainsi que la gestion du prix de revient et de l'efficience productive constitue à la fois un dispositif de contrôle des membres du groupe et une forte incitation à améliorer leur productivité et à baisser le prix de revient. Le toyotisme, c'est (ou plutôt c'était) finalement cet art dans la gestion des composantes d'un modèle industriel original. En effet, ce modèle a profondément changé dans les années quatre-vingt-dix.

V / Vers un nouveau toyotisme

Au début des années quatre-vingt-dix, alors que le modèle toyotien semble atteindre son apogée en s'imposant au monde sous le nome de *lean production* (correctement traduit par « production au plus juste »), Toyota s'est engagée dans une réorganisation industrielle en profondeur. Après celle du management intervenue en 1989, Toyota avance, depuis le début des années quatre-vingt-dix et malgré la récession profonde de l'économie japonaise, une série de réformes qui touchent l'essentiel du modèle toyotien : gestion de l'efficience productive, gestion du personnel (système de salaire, formation, organisation hiérarchique, temps de travail), conception de la ligne de montage et mode de travail à la chaîne, organisation du système de conception, etc. Les années quatre-vingt-dix marquent ainsi une mutation du toyotisme.

« Économie de la bulle » et crise du travail

La crise du travail s'est manifestée chez les constructeurs automobiles japonais dans la phase d'« économie de la bulle » de 1987 à 1991, c'est-à-dire de surchauffe économique induite par la bulle financière. Elle était déjà latente durant les années quatre-vingt, puisque des tensions s'accumulaient chez tous les constructeurs, causées par deux facteurs : le changement dans l'environnement socio-économique et la rationalisation que les firmes japonaises menaient après le premier choc pétrolier pour rendre plus « frugal » (*lean*) leur appareil productif.

Sur le marché du travail, non seulement la population active a tendance à diminuer à cause de la baisse du taux de natalité, mais aussi des diplômés d'études secondaires qui constituent la main-d'œuvre de l'industrie japonaise et qui ont tendance à préférer l'Université : depuis le milieu des années quatre-vingt-dix, la moitié des nouveaux entrants sur le marché du travail sont diplômés d'Université. De plus, ils ont tendance à éviter les emplois caractérisés par les 3K (*kitanaï* : sale ; *kitsuï* : dur ; et *kiken* : dangereux) pour en chercher d'autres plutôt dans les services. Ainsi les constructeurs étaient-ils confrontés de plus en plus à une difficulté de recrutement de la main-d'œuvre. S'y ajoute le taux de rotation élevé des jeunes opérateurs dans l'industrie automobile, du fait de la nature même du travail à la chaîne, parcellisé, monotone et répétitif, avec des cadences élevées. Par ailleurs, la concurrence acharnée sur le marché automobile conduisait les constructeurs à une diversification poussée de leur gamme. Le renouvellement quadriennal de modèles et la variété croissante des pièces pesaient de plus en plus sur les ingénieurs de la division de conception et les fournisseurs. D'ailleurs, cela compliquait encore les tâches des opérateurs sur la ligne de montage.

Dans ce contexte, Toyota avait un autre problème provenant du SPT, et surtout de sa gestion de l'efficience productive. Car celle-ci avait pour effet de faire travailler les ateliers avec un nombre minimal d'opérateurs tout en intensifiant leur travail. Sous l'effet des activités de *kaïzen*, ils étaient conduits à travailler de plus en plus vite et durement. Une telle gestion du travail peut être considérée comme l'application de la production juste-à-temps aux hommes. Dans sa phase de croissance stable, le SPT était optimal, si bien qu'on le considéra comme le modèle postfordien. Bien entendu, cela provoquait une rotation élevée des jeunes salariés, surtout dans les ateliers de montage, mais l'emploi était assuré tant bien que mal jusqu'à la seconde moitié des années quatre-vingt.

Or, l'« économie de la bulle » a frappé de plein fouet le SPT, en rendant manifeste la pénurie de main-d'œuvre. Devenu trop frugal et éprouvant des difficultés de recrutement, le SPT ne pouvait répondre au surcroît de demande et à la surchauffe provoquée par la « bulle financière ». De plus, la pénibilité du travail qui en a résulté a conduit de jeunes opérateurs à quitter Toyota : l'indice de la main-d'œuvre a baissé jusqu'à 96,9 en 1988 par rapport à la base 100 en 1985, et un quart des nouveaux opérateurs l'ont quittée en 1990 durant leur première année de service. Pour combler la pénurie de main-d'œuvre, Toyota embaucha massivement des salariés temporaires à partir de 1987, et leur part parmi les opérateurs a atteint 10,3 % en 1991, apogée de l'« économie de la bulle ». Ainsi l'indice de la main-d'œuvre remonte-t-il à 114,5 en 1991, mais la crise du travail s'aggrave encore (voir figure). L'entrée massive de salariés temporaires qui n'avaient pas de compétence suffisante

LES INDICES DE DIFFICULTÉS DANS LA PRODUCTION

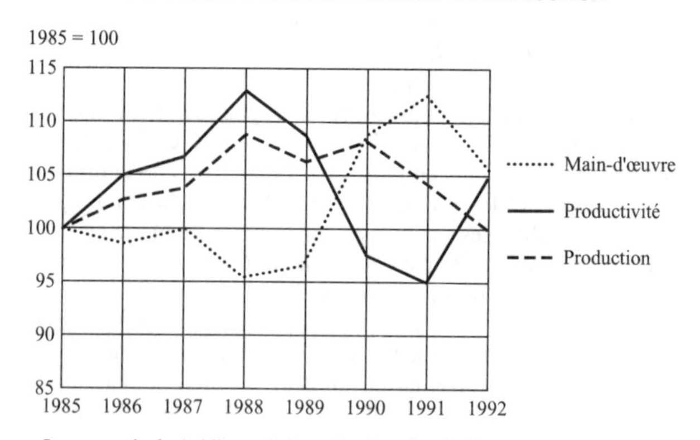

Source : calculs établis sur la base des données de Toyota.

pour s'adapter aux tâches, devenues compliquées à cause de la diversification poussée, a perturbé la production. Dans le pire des cas, des équipes de travail étaient composées aux deux tiers de salariés temporaires. De ce fait, les agents d'encadrement étaient contraints d'intervenir fréquemment sur la chaîne pour les aider, sans accomplir leurs propres fonctions. Le résultat fut une augmentation des heures supplémentaires : le temps de travail annuel de la division de fabrication a atteint

2 315 heures en 1990 (la durée légale, qui inclut les congés payés, était de 1 968 heures), alors que l'indice de la productivité par heure a baissé de 113 en 1988 à 95 en 1991 (base 100 en 1985). Ainsi la crise liée à la pénurie de main-d'œuvre s'est transformée en une crise du collectif de travail : son noyau dur, y compris les agents d'encadrement, s'est épuisé à la tâche.

Faisant face à la pénurie de main-d'œuvre et à l'épuisement du collectif de travail, la direction et le syndicat de Toyota ont commencé à remettre en cause le SPT et la gestion du personnel. Pour eux, la solution radicale à la crise du travail ne se trouve que dans la réorganisation du système de production, afin de rendre plus attrayant le travail. Direction et syndicat sont d'accord sur le fait que la pénurie de main-d'œuvre avait pour cause le changement structurel du marché du travail, mais aussi la nature du travail à la chaîne et la gestion toyotienne du travail.

Un changement de toutes les composantes de la gestion

En juin 1990, en plein milieu de la crise du travail, un comité a été organisé par des représentants du syndicat et de la direction pour réfléchir aux méthodes susceptibles de rendre plus attrayant le travail dans l'atelier. Ils ont analysé plusieurs problèmes qui touchaient à l'essentiel du toyotisme : la rémunération de la production liée à la gestion de l'efficience productive ; la promotion, la formation et la carrière des salariés ; les conditions de travail dans l'atelier de montage.

Modification de la gestion de l'efficience productive

Chez Toyota, l'essentiel de la gestion de l'efficience est dans la réduction du temps de travail réel et du nombre des opérateurs, impulsée par le *kaïzen* appliqué aux tâches et procédés de fabrication. Mais la crise du travail que connaissait l'entreprise avait précisément pour cause profonde cette gestion. D'où la remise en cause de l'idée de juste-à-temps, interprétée d'une manière rigide et dogmatique. « Si on augmente le nombre des opérateurs, l'efficience productive baissera. Mais il ne faut pas penser qu'à l'efficience productive », déclare par exemple la division de gestion du personnel. On ne doit pas trop pousser la réduction du nombre des opérateurs. Sinon, le travail dans l'industrie automobile continuera à être rejeté par les jeunes générations et à épuiser les opérateurs et agents d'encadrement. Ainsi le comité a-t-il proposé la modification de la gestion du prix de revient.

Jadis, l'objectif de coût de la main-d'œuvre et le temps standard étaient fixés au moment du lancement d'un modèle nouveau ou de son renouvellement en se référant aux meilleurs résultats obtenus dans le passé. Cela ne correspondait pas nécessairement à la réalité. Dans le nouveau système, ils sont fixés sur la base des résultats obtenus trois mois après le lancement. Plus important encore, la direction se contente de donner une cohérence à l'objectif de croissance annuelle de l'efficience productive et du prix de revient que les usines se donnent volontairement, et ne leur impose plus unilatéralement, tous les six mois, la norme de *kaïzen*, comme par le passé. Par exemple, l'usine Tahara a pour objectif d'augmenter l'efficience productive de 3 %, considérée comme équivalent de la majoration du coût salarial au printemps, car chaque usine doit dégager de quoi alimenter la hausse salariale correspondante. D'ailleurs, la direction a promis de penser à réduire le prix de revient global, en essayant de contenir davantage les coûts des matières premières, pièces et composants. Pour ce faire, la planification du prix de revient et l'analyse de la valeur dans l'étape de conception (VE) prennent plus d'importance.

En bref, la direction a renoncé à sa gestion unilatérale du prix de revient. Dotés d'une telle autonomie et de plus de responsabilité dans la gestion du prix de revient, les ateliers peuvent mener des activités de *kaïzen* en fixant leur propre objectif. L'usine Tahara n° 1 en organise un pour réaliser la ligne de montage qu'elle trouve « idéale ».

En matière de critères d'efficience productive, et surtout de nombre d'opérateurs et de temps de travail, nombre de modifications ont aussi été effectuées. Durant la première formation sur place des nouveaux recrutés, leur nombre et leur temps de travail sont exclus du calcul de l'efficience productive, pour que leur formation ne provoque pas une baisse apparente de l'efficience productive. En ce qui concerne les saisonniers, les stagiaires de l'école de Toyota, leur nombre et leur temps de travail ne sont pas comptés pendant une semaine, alors que jadis ils étaient inclus dès le premier jour. Il est aussi admis de donner plus de temps à la tâche des opérateurs plus âgés et des femmes au moment de la détermination du temps standard. De plus, le temps standard est fixé trois mois après le lancement de la production en série, grâce à la mesure du temps effectivement nécessaire, compte tenu des effets d'apprentissage. La gestion du temps standard et du temps de travail est ainsi devenue plus raisonnable et moins contraignante.

Concernant l'évaluation de l'efficience productive, dans le passé le coefficient de rémunération de la production, CRP, de la section A (section directe et approvisionnement dans l'atelier) était calculé après le classement du coefficient de l'efficience productive, CEP, de toutes les unités de travail (*chôku*). Pourtant, les ateliers hautement automatisés ont tendance à enregistrer un CEP plus élevé que les autres. Pour rectifier une telle inégalité, la direction classe les CEP par groupes d'ateliers homogènes : groupe de fonte, forgeage, emboutissage et tôlerie ; groupe de mécanique ; groupe de carrosserie, peinture et moulage plastique ; et groupe de montage. De surcroît, la direction a réorganisé les sections de *bu-aï* (rémunération de la production), A (section directe et approvisionnement dans l'atelier), B (maintenance et *kaïzen* dans l'atelier), C (agents techniques de l'ingénierie et chefs de sous-section, *kochô*) et D (employés et ingénieurs). Les sections A et B et une partie de la section C sont regroupées en sections P (*plant*), dites PA, PB et PC, parce que c'est l'ensemble des salariés de l'usine qui contribue à la production. Désormais, c'est la section P tout entière dont on évalue l'efficience productive.

Un système de salaire plus raisonnable

La réforme de la gestion de l'efficience productive s'accompagne d'un nouveau système de salaire qui rompt partiellement avec les idées de Taïchi Ohno.

En avril 1993, Toyota a modifié son système de salaire en introduisant deux rémunérations correspondant à l'âge et à la compétence (leur part dans le salaire standard moyen est de chacune 10 %), et réduisant le poids de la rémunération de la production de 60 % à 40 % : les 40 % restant représentent la part du salaire de base (SB) (voir encadré). La rémunération correspondant à l'âge (RA) a une croissance lente jusqu'à trente ans, puis rapide jusqu'à quarante-cinq ans, et ralentie de quarante-six ans à cinquante-cinq, pour devenir négative après cinquante-six ans. Cela, pour rendre plus aisée la vie des salariés de trente-cinq ans à cinquante car leurs charges familiales sont plus fortes à cette période de leur vie : frais scolaires, achat à crédit d'une maison, etc. Dans le nouveau système, mis en place en avril 1993 (voir encadré), Toyota n'applique plus la RP, nommée désormais rémunération proportionnelle à la productivité aux salariés de la section S (employés et ingénieurs), mais seulement aux salariés des sections P et E, cols bleus dans l'ingéniérie, puisque les employés et ingénieurs la trouvent inadéquate n'ayant pas directement de relation avec la production. À sa place, la rémunération correspondant à la compétence (RC) occupe 40 % du salaire standard. Pour les salariés des sections P et E, le poids de la RP dans le salaire standard est réduit de 40 % à 20 %, et celui des RC et RA ramené chacun à 20 %.

La suppression de la RP des salariés de la section S contredit l'idée de Taïchi Ohno. En revanche, la direction et le syndicat admettent que la RP représente les efforts consacrés par les salariés de la section P pour augmenter la productivité de Toyota. Les agents d'encadrement s'occupent d'une manière plus active des activités de *kaïzen* pour réduire le temps de travail réel et le nombre d'opérateurs dans leur segment de travail. La règle du jeu, à savoir la réduction du temps standard, est donc toujours en vigueur. Mais l'efficience productive est le résultat du travail collectif de la section (*Ka*), de sorte qu'il est raisonnable que les salariés de même niveau dans la même section reçoivent la même somme de RP.

Évaluer la compétence et la performance

Toyota a désormais deux *sateï* : l'un, *sateï* de la compétence des salariés, qui évalue leurs connaissances et habileté professionnelles, et leurs capacités de gestion et de *kaïzen*, dont la note détermine la majoration de leur SB et leur promotion ;

Nouveau système de salaire

A. Évolution du système de salaire

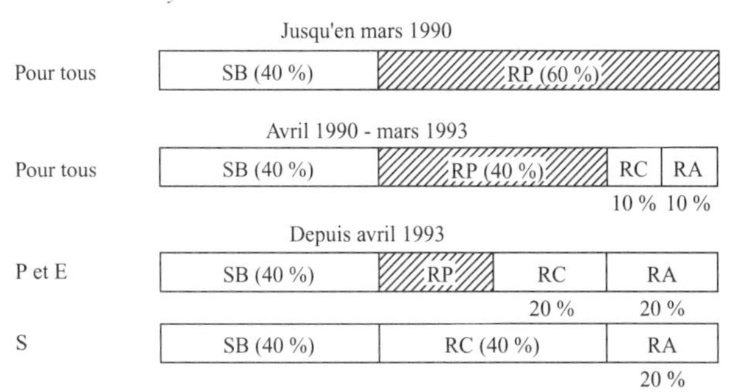

N.B. : S = employés et ingénieurs ; P = cols bleus dans la fabrication ; E = cols bleus dans l'ingéniérie.

B. Calcul de l'efficience productive après la réforme

Supposant que HP représente les heures standards, et HT les heures de travail effectives, l'efficience productive de la section P (A, B, C) est calculée de la manière suivante :

$$HP = \sum(\text{Temps standard par produit x Volume des produits})(1 + BC)$$

$$HT = \text{Temps de travail réel par tête x Nombre des effectifs de P}$$

$$\text{Efficience productive} = \frac{HP}{HT} \text{ x Coefficient Fixe}$$

Le coefficient BC qui représente la part de la contribution des sections PB et PC dans l'efficience productive de la section P tout entière est proche de 0,2.

C. Rémunération proportionnelle à la productivité (RP)

Le coefficient de l'efficience productive, CEP, est calculé par section (*Ka*) de la manière suivante :

CEP = a EP + b

a = coefficient fixe,

b = coefficient garanti = temps garanti/HT

EP = efficience productive

On regroupe ensuite les CEP pondérés par groupe homogène.

l'autre, *sateï* de la performance des salariés, qui évalue donc leur performance annuelle et leur motivation durant cette période, dont la note affecte la RC et la somme des bonus semestriels. Ce changement purement institutionnel va de pair avec la méthode de *sateï* révisée. Alors que le résultat de la première évaluation est cumulatif, le second ne l'est pas de sorte qu'un salarié mal évalué pourra regagner la RC plus élevée en s'investissant plus dans ses tâches pour l'année suivante. Pour mener à bien ce système, la direction a institutionnalisé l'entretien entre l'évaluant et l'évalué pour que celui-ci puisse améliorer sa note. Dans le cas des salariés de la section S, ils ne se donnent leur objectif annuel de travail qu'après cet entretien, et le *sateï* évaluera le degré de réalisation de leur objectif. En revanche, le *sateï* des salariés des sections P et E évalue leurs activités et efforts individuels dans le travail en équipe. En somme, le système de salaire et le système de *sateï* sont devenus plus raisonnables et plus compréhensibles pour les salariés. Le résultat du travail des salariés de la section S se répercute visiblement dans leur RC, alors que la RP des salariés de la section P reflète le résultat de leur travail collectif, et la RC, leurs efforts individuels. La RA rectifie, bien que partiellement, la courbe de salaire en tenant compte du coût de la vie. En revanche, le SB n'a pas été touché, de même que le *sateï* de la compétence reste prérogative du management.

Synchroniser formation et carrière des salariés

Pour résoudre le problème de la rotation des nouveaux recrutés, Toyota a modifié leur formation initiale en 1993. Jadis, ils étaient assignés aux ateliers comme opérateurs, après avoir suivi deux semaines de formation générale au siège. La direction la confie désormais entièrement aux usines tout en prolongeant sa durée : neuf semaines dans les ateliers d'emboutissage, tôlerie, carrosserie et montage, et six semaines dans les autres. En général, l'usine leur donne deux semaines de formation générale, puis les assigne aux ateliers où ils suivent une formation sur le tas (*on the job training*) en prenant en charge la moitié de la tâche des opérateurs et en effectuant une rotation dans l'atelier ainsi qu'en suivant un entraînement physique. La prolongation de la première formation semble avoir un effet favorable sur la stabilité des salariés, bien qu'il soit difficile de repérer les causes de cette stabilisation. En effet, l'augmentation du chômage due à la récession longue des années quatre-vingt-dix y contribue certainement.

Pour les opérateurs, la nouvelle formation professionnelle est mise en place en février 1991. La direction accorde aux opérateurs quatre degrés de compétence professionnelle, C, B, A et S, suivant le résultat d'une épreuve passée après qu'ils ont reçu une formation générale (*off the job training*), puis effectué une formation dans leur atelier. Pour les opérateurs de la section PA, la durée de la formation est de 40 heures pour tous les degrés, et celle pour les salariés de la maintenance est de 280 heures pour le degré C, de 360 heures pour le degré B, de 460 heures pour le degré A (le degré S n'existe pas encore à la fin des années quatre-vingt-dix). Ainsi, dans l'usine Motomachi, un opérateur de degré C peut effectuer de deux à trois tâches s'il a une ancienneté minimale de deux ans. Celui de degré B peut effectuer des tâches dépassant celles de son groupe de travail, y compris la réparation, s'il a une ancienneté d'au moins cinq ans. Celui de degré A peut accomplir des tâches dépassant celles de son équipe (*kumi*), avec une ancienneté de plus de dix ans. Enfin, celui de degré S, avec une ancienneté de plus de quinze ans, pourrait exécuter toutes les tâches de montage et avoir le savoir-faire suffisant pour monter tout seul une voiture.

Les raisons pour lesquelles Toyota a créé une telle formation sont multiples :

— d'abord, la nécessité de systématiser la formation de la compétence des opérateurs qui était autrefois prise en charge par la formation sur le tas guidée par le savoir-faire pratique des agents d'encadrement ;

— ensuite, la nécessité d'étendre la compétence et le savoir-faire des opérateurs qui ne connaissaient que des tâches limitées, car il n'existait pas d'opérateurs qui connaissaient toutes les tâches de l'atelier ;

— intervient de plus la nécessité de donner une occasion de formation professionnelle élevée aux opérateurs qui ne pouvaient être promus au poste des agents d'encadrement qui,

eux, reçoivent d'autant plus de formation qu'ils montent en grade ;
— la nécessité, enfin, de donner aux opérateurs une formation par laquelle ils peuvent éprouver du plaisir à fabriquer et maîtriser un plus grand savoir-faire.

Les opérateurs peuvent aussi avoir une motivation pour accroître leur compétence professionnelle, objectivement évaluée et reconnue. Certes, Toyota ne pense pas à introduire le modèle Uddevala, sauf dans un atelier de l'usine Tahara n° 2, où, à partir de 1997, une équipe monte des véhicules personnalisés en station fixe. De plus, le fait même que Toyota ait installé une telle formation montre que l'image des ouvriers japonais motivés et bien formés était caricaturale. C'était peindre en blanc toutes les vaches ! Ne se contentant pas de cette image un peu vaine, reconnaissant les problèmes réels du travail, Toyota s'efforce de donner à ses opérateurs une formation suffisante pour leur redonner le « goût du travail ».

En outre, Toyota a effectué deux modifications plus mineures. Durant les années quatre-vingt, les chefs de groupe sans subordonnés augmentaient en nombre. Être chef sans subordonnés les démoralisait. Mais, comme la progression du salaire est traditionnellement liée au niveau couplé avec le poste, Toyota ne pouvait pas supprimer les postes en question. En séparant donc le poste et le niveau, Toyota a changé leur statut respectivement en expert (EX), expert supérieur (SX) et expert en chef (CX), tout en leur assurant le niveau qu'ils occupent mais sans accomplir de fonctions de gestion.

Par ailleurs, le système de démission obligatoire des fonctions responsables à 55 ans n'a pas été supprimé, mais les agents d'encadrement qui sont considérés comme ayant la compétence nécessaire et la volonté de continuer à remplir leur fonction peuvent garder leur poste jusqu'à 60 ans, âge de mise à la retraite.

Grâce à ces dispositifs et au système de salaire, les salariés de Toyota pourraient *a priori* travailler jusqu'à leur mise à la retraite, tout en conservant une motivation et une image claire de leur carrière professionnelle qui enregistre objectivement le niveau de leur propre savoir-faire.

Réduire le recours aux heures supplémentaires

Par ailleurs, la direction et le syndicat ont réussi à réduire le temps de travail annuel de trois cents heures de 1991 à 1993, en conseillant aux salariés de prendre effectivement tous leurs congés payés : 12 jours pour les nouveaux salariés, et 20 pour les salariés de plus de sept ans de services, et en comprimant les heures supplémentaires. Ainsi le temps de travail annuel a-t-il atteint 1 915 heures en 1993 (le temps de travail normal était de 1 962 heures), partiellement sous l'effet de la récession. Mais direction et syndicat ont encore poussé cette orientation en installant, en mai 1995, un nouveau système d'horaires. Le système de deux équipes, une de jour et une de nuit, séparées par quatre heures permettant d'effectuer des heures supplémentaires, a été remplacé par un système de deux équipes de jour : de 6 h 30 à 15 h 15 pour l'un, et de 16 h 15 à 1 h 00 pour l'autre, avec quarante-cinq minutes de repos pour le repas, et deux pauses de 10 minutes après deux heures de travail (donc sept heures quarante-cinq minutes de travail pour chaque équipe). Ce système ne supprime pas entièrement les heures supplémentaires dont la marge est cependant très étroite : moins d'une heure, pour compenser les arrêts de la ligne, car le plan de production est établi pour sept heures quarante-cinq minutes.

En outre, pour réduire les heures supplémentaires, la direction a appliqué, en 1997, le système des horaires flexibles aux employés et ingénieurs en supprimant les heures supplémentaires, mais en leur assurant une rémunération équivalente de trente heures supplémentaires pour ne pas trop diminuer leur salaire mensuel.

Toyota essaie ainsi d'approcher le temps de travail du standard occidental. Que les cadences de travail se ralentissent sur la plupart des lignes de montage (le temps de passage dans un poste de travail est de 2 minutes) par rapport à celles des années quatre-vingt se serait certes produit du fait du fléchissement du marché automobile. Mais Toyota embauche massivement des salariés temporaires (3 202 salariés en avril 1997) pour soulager la charge des opérateurs des ateliers dont les cadences de travail sont d'une minute.

Couper la ligne d'assemblage

Le Comité direction-syndicat a décidé d'investir pour rendre le système productif plus humain et le travail plus attrayant. Même durant la longue récession de la dernière décennie du XXe siècle, la direction continue à investir pour l'amélioration du lieu de travail.

Par exemple, les lieux de repos, les toilettes, les salles de bains, etc., dans les ateliers ont été améliorés pour que même les jeunes femmes puissent travailler agréablement. Par ailleurs, on essaie de faire disparaître les tâches difficiles et pénibles et les lieux de travail sales, pour permettre aux opérateurs de plus de quarante ans et aux femmes d'y travailler volontiers.

En ce qui concerne la ligne de montage, un premier pas modeste a été franchi à l'usine de Tsutsumi. En coupant la ligne de plus d'un kilomètre en quatre zones, en installant des lignes de préparation de sous-ensembles (portes, moteurs et sièges), l'atelier peut avoir des stocks entre les zones et entre la ligne de montage et les lignes de préparation. Cela, parce que le comité pense que tous les problèmes du travail proviennent de la production sans stock, ou du principe rigide du JAT. Cette petite modification apportée à une vieille usine a déjà amélioré la satisfaction des opérateurs. Car, grâce à la présence de stocks, l'arrêt d'une zone à cause d'un problème quelconque ne paralyse plus toute la ligne. Il est même permis de terminer la production avant l'heure normale de fin de travail, ne serait-ce que dix à quinze minutes, tandis que la ligne d'à côté, traditionnelle, continue à travailler.

Mais la vraie novation dans la conception de la ligne de montage a été réalisée par la division des techniques de production lors de la construction de la quatrième usine à Tahara en 1991. La conception fondamentale de cette usine vise à fabriquer des voitures de haut de gamme et écologiques, mais à prix raisonnable ; adopter la technologie la plus avancée ; essayer de donner une motivation aux salariés et étendre leur compétence.

La ligne de montage étant coupée en une dizaine de mini-lignes que Toyota appelle « îles », il est permis d'avoir des stocks tampons entre elles. Les plateaux rectangulaires, larges

(2 m x 5 m) et enchaînés étant employés à la place du convoyeur ordinaire, les opérateurs peuvent exécuter leur tâche en restant sur le plateau, sans marcher. De plus, l'automatisation a été avancée autant que possible pour faire disparaître les tâches pénibles, mesurées par la méthode ergonomique, TVAL (*Toyota Verification of Assembly Line*). Disposant d'un stock entre les minilignes, ce qui était considéré comme mauvais par Taïichi Ohno, chaque miniligne a désormais une autonomie et une indépendance relatives quant à l'organisation du travail. Cela, tout en augmentant l'efficience productive, car, si une miniligne s'arrête à cause d'un problème, les autres lignes continuent la production, et la ligne en question peut se remettre en état de fonctionner sans gêner les autres.

C'est ainsi que l'usine Tahara n° 4, qualifiée d'« usine pour l'homme-partenaire », a été créée pour enterrer l'« usine du désespoir », image donnée par Satoshi Kamata [1973]. Cette nouvelle conception de la ligne d'assemblage a encore été développée lors de la construction d'une usine à Kyushu.

Toyota Motor Kyushu : un terrain d'expérimentation

Toyota Motor Kyushu (TMK), filiale de Toyota fondée en 1991 et qui monte les modèles Mark II et Chaser, mène des expériences audacieuses par rapport à Toyota qui a des difficultés à s'affranchir de son passé, peut-être à cause de sa taille. Plus frappant, TMK n'a pas adopté la rémunération de la production (RP) pour ses opérateurs : l'incitation des salariés à la production et au *kaïzen* est donnée autrement. De plus, en développant encore la conception de la ligne de montage à l'usine Tahara n° 4, TMK donne une nouvelle dimension au travail en équipe.

Une formule salariale simple mais incitative

Son système de salaire est très simple (les chiffres entre parenthèses représentent la part des composants dans le salaire moyen) :

Salaire mensuel = SB (60 %) + RC (40 %)

Comme les opérateurs travaillent en deux équipes de jour (6 h 00-14 h 50 et 15 h 05-23 h 55) sans heures supplémentaires, la rémunération des heures supplémentaires n'existe pas, sauf pour des activités de CQ. Le salaire de base (SB) est déterminé par le *sateï*, mais prend en considération l'ancienneté des salariés et le coût de la vie. Il est révisé une fois par an, en avril, après la négociation patronat-syndicat du printemps. La rémunération de la compétence (RC), fondamentalement décidée suivant la qualification des salariés, est révisée par le *sateï* trois et cinq ans après leur embauche, puis tous les deux ans. Le bonus est aussi versé deux fois par an, mais il peut être majoré grâce à un dispositif original.

À la place de la RP, TMK a mis en place un nouveau système PIT (*Performance Incentive of Toyota Motor Kyushu*) pour inciter les salariés à la production et au *kaïzen* du prix de revient, de la qualité et de la sécurité. Dans ce système, toutes les équipes de travail établissent leur propre objectif en juin et en décembre pour les six mois qui suivent. Après que le chef de sous-section l'a approuvé ou modifié, l'objectif doit être entériné par le chef de section qui a le pouvoir de décision dans l'atelier. Les chefs de section et de sous-section évaluent ensemble le degré de réalisation de l'objectif six mois après, donc en juin et décembre. Suivant la performance de la section, ses membres recevront l'équivalent d'un second bonus : la somme versée par salarié était d'un peu plus de 2 000 francs pour les six premiers mois de 1994.

Ces nouveaux systèmes sont introduits pour éviter les effets néfastes du système de RP. « La RP a pour effet d'exciter l'émulation entre les équipes de travail pour élever leur productivité. Mais, si on la pousse trop, elle provoque au contraire des effets néfastes. » « Au moment où se discutent les problèmes du travail au sein de Toyota, c'était la RP qui nous ligotait, et le principe de la production sans stock qui obligeait les agents d'encadrement à travailler sur la ligne de montage sans accomplir leurs fonctions. » Ainsi, TMK a mis en œuvre ces nouveaux systèmes de salaire et d'incitation que les salariés trouvent plus égalitaires et équitables.

Ligne de montage tronçonnée et rotation du travail

Par rapport à l'usine Tahara n° 4, la division des techniques de production a fait progresser la technologie de semi-automatisation, en tenant compte de la rentabilité et de la qualité du rapport homme-machine, et en mesurant la pénibilité des tâches par la méthode ergonomique TVAL. Ainsi, les tâches pénibles ont presque disparu. Les nouvelles caractéristiques de cette ligne sont à mentionner :

Ligne de montage tronçonnée à TMK

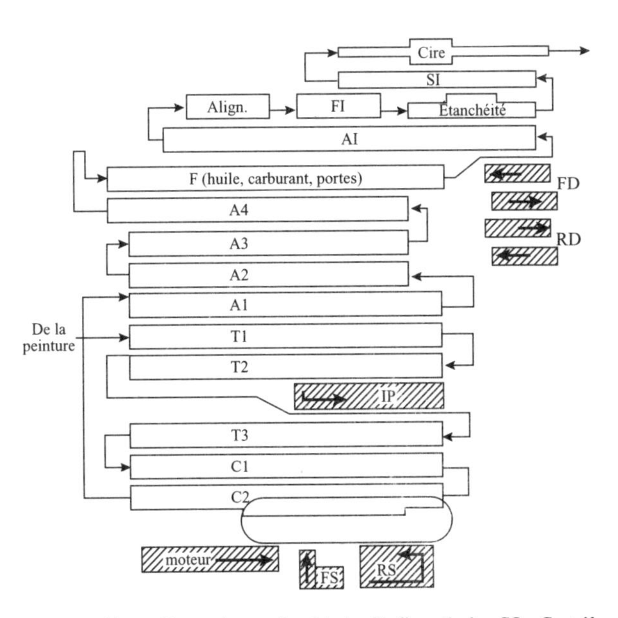

A : assemblage ; T : garnitures ; C : châssis ; F : ligne finale ; CQ : Contrôle qualité ; Align : alignement ; FI : contrôle des fonctions ; SI : contrôles légaux ; FD/RD : lignes de préparation des portes avant et arrière ; IP : ligne de préparation de tableaux de bord ; Moteur : ligne de préparation de moteurs ; FS/RS : ligne de préparation de suspensions avant et arrière.

— la ligne de montage a été divisée en onze minilignes par fonction (voir encadré) ;
— les mêmes plateaux utilisés à l'usine Tahara n° 4 sont ici équipés d'un socle dont la hauteur est automatiquement ajustable suivant la taille et la posture des opérateurs ;
— une équipe de travail prend en charge une miniligne, avec un poste de contrôle-qualité pour que l'équipe puisse assurer la qualité des produits, au-delà de ce que chaque opérateur assure sur place, au cours de son travail ;
— l'organisation du travail de l'équipe est du ressort du chef d'équipe, au lieu du chef de section comme dans la ligne traditionnelle toyotienne ;
— de plus, disposant de trois à cinq caisses avant et après sa miniligne, soit un stock tampon équivalent à cinq minutes d'arrêt vu les cadences de travail, le chef d'équipe peut contrôler le travail de son équipe ;
— ainsi, plus d'autonomie et de responsabilité sont accordées à l'équipe de travail.

Cependant, cette ligne est plus efficiente que la ligne traditionnelle, car, si une miniligne est stoppée à cause d'un problème, les autres continuent la production et la ligne en question peut les rattraper.

Bien que TMK n'ait pas renoncé au principe du JAT, elle en a relâché les contraintes imposées par Taïichi Ohno pour mettre en œuvre un système de production plus humain.

Au sein de chaque équipe, la rotation de tâches s'effectue systématiquement pour que les opérateurs apprennent toutes les tâches concernant une fonction. Par ailleurs, les équipes de travail dans l'atelier de montage comprennent au moins une jeune femme qui reçoit le même salaire que les hommes de son âge, au moins au départ. En effet, les salaires seront différenciés, non pas suivant les sexes, mais suivant la qualification et le *sateï*.

Pour les activités de *kaïzen*, le CQ a été organisé par équipes de travail en 1994. Le leader est nommé à partir des opérateurs, le chef d'équipe et les chefs de groupe jouant le rôle de conseillers. Pour mener ces activités, l'équipe de travail organise une réunion soit après le travail pour observer les tâches de l'unité de travail alternative, soit pendant le travail après avoir stoppé la ligne (« arrêt planifié ») pour examiner la tâche d'un poste de travail qui a un problème. Les activités de CQ faites après le travail sont rémunérées en tant que travail en heures supplémentaires, à l'exception de celles faites pour apprendre des méthodes. Chez TMK, les activités de CQ semblent constituer les seules activités de relations humaines. Cela est d'autant plus important que TMK n'a pas l'intention d'introduire certaines activités de relations humaines de Toyota telles les activités organisées par les *Ho-Hachi-Kaï* (voir p. 9). Elle évite ainsi de lier la vie de ses salariés à leur activité dans la firme.

Une expérience qui fait école

La conception socio-technique et ergonomique de la ligne de montage en tronçons de TMK a servi de référence aux autres lignes de Toyota lorsque certaines d'entre elles ont été restructurées. Quand l'ancienne ligne de montage de Mark II à l'usine Motomachi n° 2 a été restructurée en 1994 pour fabriquer un nouveau modèle RAV 4, la ligne de montage a été divisée en cinq minilignes, prises en charge chacune par deux équipes. L'organisation du travail est différente, mais le stock tampon est présent, l'ergonomie a été mobilisée pour faire disparaître les tâches pénibles, sales et dangereuses, des tapis roulants sont utilisés pour les opérateurs. Puis en 1995, deux lignes de montage du Hilux Surf dans l'usine Tahara n° 1 ont été réorganisées en une seule, divisée en neuf minilignes, pour monter deux modèles renouvelés, Hilux Surf et Land Cruiser Prodo. Pensant aux discussions du comité direction-syndicat ainsi qu'à la réunion des directeurs d'usine, le directeur de l'usine Tahara a proposé au chef de section de préparer le renouvellement prévu et de chercher la ligne de montage « idéale ». Puis en 1996, la ligne de montage de Crown, Soarer et Supra à l'usine Motomachi n° 1 a été divisée en sept minilignes, prises en charge respectivement par une équipe. Mais cette fois, la restructuration de la ligne a été conçue par la division des techniques de production. En somme, la nouvelle conception de la ligne de montage et l'organisation du travail achevées à TMK semblent partagées par des directeurs d'usine, la division des techniques de production ainsi que la direction.

Restructurer et dynamiser un système de conception

La crise du travail à la fin des années quatre-vingt est aussi celle des ingénieurs de la division de conception. La diversification des produits, la poursuite à outrance de la qualité et le renouvellement quadriennal de la plupart des modèles, qui étaient une des causes de la confusion dans la production, ont mis en lumière les limites de l'organisation matricielle de la conception surchargeant les ingénieurs, sans augmenter la marge bénéficiaire.

L'organisation matricielle posait depuis sa création un problème de gestion, car un ingénieur était géré à la fois par le directeur du bureau de dessin auquel il appartenait et par l'ingénieur en chef (*shu-sa*) qui le mobilisait pour la conception de son modèle, en disposant d'un pouvoir équivalent à celui du directeur. Il devait ainsi réaliser le dessin d'une pièce pour réaliser l'idée de l'ingénieur en chef en consultant le directeur qui gérait son bureau avec ses propres objectifs. D'où des tensions entre eux. Ce problème s'aggravait au fur et à mesure que le nombre des ingénieurs et des ingénieurs en chef augmentait avec l'essor de Toyota et la diversification de sa gamme : douze mille ingénieurs et une vingtaine d'ingénieurs en chef dans la division de la conception, au début des années quatre-vingt-dix.

De son côté, l'ingénieur en chef devait négocier avec trop de bureaux de dessin et fonctionnels pour la réalisation de son projet ; qu'il doive choisir les pièces développées par ces bureaux privait le véhicule de son individualité novatrice, de sorte que les modèles conçus devenaient semblables. Il devait résoudre des problèmes techniques sans partage du savoir-faire ni collaboration entre les ingénieurs en chef. Il devait tenir trop de réunions pour régler les problèmes avec les bureaux concernés si bien que la décision n'était pas prise rapidement. On raconte qu'au début des années quatre-vingt-dix un ingénieur en chef devait rencontrer en quatre ans au total plus de onze mille personnes appartenant à quarante-huit bureaux.

Ainsi les ressources technologiques mobilisées pour la conception n'étaient-elles pas partagées ni capitalisées par les ingénieurs en chef, alors que les ingénieurs dans les bureaux étaient surchargés, impliqués souvent dans des tâches insignifiantes. D'ailleurs, ce sont eux qui effectuaient les heures supplémentaires les plus nombreuses chez Toyota. Gaspillant en quelque sorte des ressources technologiques et humaines, l'organisation matricielle est devenue inefficiente et a privé les ingénieurs en chef de conceptions novatrices.

Une spécialisation des centres de conception

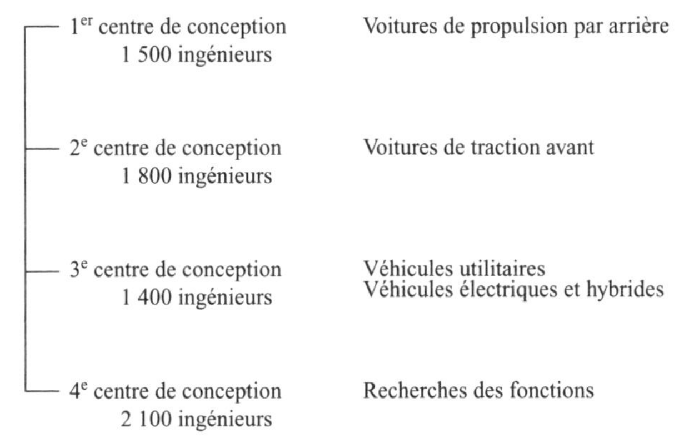

En dehors des quatre centres de conception, environ 5 000 ingénieurs travaillent aussi dans le centre de recherche à Higashi-Fuji, etc.

C'est ainsi qu'en 1992 le système de conception a été restructuré par l'organisation matricielle en quatre centres de conception, spécialisés par type de véhicule, qui regroupent des ingénieurs affectés jusque-là à une cinquantaine de bureaux (voir encadré). Par cette réorganisation, les ingénieurs en chef d'un centre peuvent concevoir des véhicules de même catégorie en partageant le savoir-faire accumulé, alors que les ingénieurs des pièces et composants travaillent en groupe, de sorte qu'ils peuvent comprendre le sens de leur tâche dans la conception du véhicule. La conception des véhicules du même genre dans un même centre facilite la commonalisation des pièces, dynamise les ressources technologiques et humaines et contient les coûts de conception.

Véhicules de loisir et écologiques

Durant la dernière décennie du XXe siècle, Toyota fait face à deux défis technologiques : changement dans le goût des usagers et écologie.

Dans la phase de l'« économie de la bulle », un nouveau créneau de véhicules de loisir ou à usages variés (RV, *recreational vehicles*) a été créé, en particulier avec le modèle Pajero de Mitsubishi. Les RV comprennent, suivant la définition japonaise, les breaks (*station wagon*), pick-up (petites camionnettes), monospaces (mini-van) et véhicules de loisir tout terrain (type 4 × 4 comme Pajero et Land Cruiser) que les jeunes générations utilisent comme voiture particulière dans comme hors la ville. Ce marché s'accroît rapidement malgré la récession économique pour dépasser 30 % des parts de marché en 1995. Dans ces circonstance, la croissance de ce marché signifie la contraction du marché des VP traditionnelles, ce qui affecte directement Toyota, dont la part de marché de VP est tombée au-dessous de 40 % en 1995. En effet, les modèles VP dont la vente en 1995-1996 dépasse la moyenne actuelle ne sont que les Starlet (bas de gamme), Crown et Windon (haut de gamme), alors que les RV telles Hilux, Land Cruiser, Hiace, RAV 4 ont amélioré leur position.

Ce changement dans le marché automobile japonais a obligé Toyota à réviser sa stratégie de produits, bien qu'elle essaie toujours de revaloriser le marché des VP avec le mot d'ordre « révolutionner les berlines ». Mettant plus de ressources dans la conception des RV et en collaboration avec des assembleurs compétents du groupe, l'entreprise lance de nouveaux modèles RV : RAV 4 (4 × 4) en 1994, Granvia (monospace) en 1995, Mega Cruiser (4 × 4), Ipsum (monospace) et Camry Gracia (break) en 1996, Corolla Spacio (monospace), Hiace Regius (monospace) et Raum (monospace) en 1997, et modernise d'anciens RV : Sprinter Carib (break) et Hilux Surf (4 × 4) en 1995, Land Cruiser Prado (4 × 4) en 1996, et Cardina (break) en 1997. Par conséquent, la nouvelle organisation semble mieux s'adapter à ce nouveau marché qui, de façon imprévue, monte en régime.

C'est aussi le cas pour la conception de véhicules non polluants, électriques et hybrides. Leur développement et leur commercialisation sont déjà pris en compte lors de la réorganisation de la conception, puisque Toyota inclut la conception de véhicules électriques dans le troisième centre. Sur la base du savoir-faire ainsi accumulé et du développement technologique, Toyota a lancé en septembre 1997 la première voiture hybride destinée au grand public, Prius, qui se vend au prix de cent mille francs. La direction avoue que le prix de vente est très inférieur aux coûts de production, mais le but est de favoriser la diffusion de tels véhicules. D'après son ingénieur en chef, c'est la direction qui l'a encouragé à adopter ce système hybride novateur bien qu'il préférât personnellement une technique banale. La Prius a ainsi été lancée pour être la voiture pilote de ce nouveau créneau à vocation écologique. Un tel pari n'a pu être fait que grâce à la taille et à la rentabilité de Toyota. Au demeurant, les usagers accueillent bien la Prius et passent plus de commandes que prévu.

En somme, la réorganisation du système de conception contribue beaucoup à une telle audace, sans parler des ressources financières de Toyota. Réorganisés, les quatre centres de conception ont un objectif clair, et leurs ingénieurs en chef sont capables de disposer de ressources technologiques et humaines accumulées dans leur centre ainsi que de nouveaux composants développés par le quatrième centre et des firmes du groupe Toyota telles que Denso et Aïshin (concepteur du système de suspensions actives de Toyota). Mais il faut ajouter le fait que c'est la politique d'ensemble de la direction qui a été réorientée.

Les sept orientations du nouveau toyotisme

En janvier 1992, la direction a adressé à ses salariés « Sept grandes orientations de Toyota » pour construire « Toyota du XXIe siècle ». Cela, juste avant que le président honoraire et le président-directeur général de Toyota changent, du tandem Eïji Toyoda (neveu du fondateur) et Shoïchiro Toyoda (aîné du fondateur) à celui de Shoïchiro Toyoda et Tatsuro Toyoda (cadet du fondateur), remplacé en 1995 par Hiroshi Okuda. Cela annonçait, semble-t-il, l'arrivée à la direction d'une nouvelle génération qui encourage la mutation de Toyota d'une firme locale japonaise à une firme globale appréciée dans le monde entier.

• *Être une firme mondiale.* Observant les règles mondiales de l'éthique des affaires, Toyota conduira ses affaires d'une manière compatible avec les normes internationales de justice et d'ouverture d'esprit.

• *Servir les personnes partout en portant un soin attentif à la sécurité et à l'environnement.* Dans la conception et le développement technologique, la priorité sera donnée à la sécurité et à l'environnement.

• *Prendre la tête de la technologie et de la satisfaction de la clientèle.* Toyota offrira partout dans le monde des produits et services séduisants et répondra aux exigences des clients par une qualité élevée et des prix raisonnables.

• *Devenir membre de la communauté locale des pays d'accueil.* Toyota s'efforcera d'implanter dans le pays d'accueil toute une série d'activités, de la conception à la vente en passant par la production, pour être reconnue comme une firme locale.

• *Créer une culture d'entreprise qui respecte l'individualité de ses salariés et encourage leur travail en équipe* (au sens de coopération). Toyota poursuivra la recherche des gains de productivité obtenus par la synergie entre la créativité individuelle à l'occidentale et le travail en équipe à la japonaise, et évaluera ses salariés selon des critères objectivement admis pour mesurer leurs compétences et performances.

• *Poursuivre une croissance continue par une gestion performante et globale.* Prenant en considération l'efficience globale dans la distribution et l'usage de ses ressources managériales, Toyota s'efforcera d'une manière continue de réduire les coûts de production et d'obtenir des gains de productivité afin de maximiser sa rentabilité et sa croissance potentielles.

• *Construire des relations de long terme avec ses partenaires dans le monde.* Toyota a l'intention de s'approvisionner en pièces auprès de fournisseurs potentiels qui, dans le monde, sont capables d'en fournir avec la meilleure qualité et à un prix compétitif.

Les réformes observées durant les années quatre-vingt-dix sont en effet dans le droit fil de ces « grandes orientations ». Bien que l'image finale de ce nouveau modèle industriel ne soit pas encore fixée, et que la dépression longue semble ralentir ce mouvement, on peut en tirer une conjecture. Le nouveau toyotisme ne poursuivra pas seulement l'efficience productive et la rentabilité, mais aussi des relations équitables et humaines avec ses partenaires, salariés, fournisseurs, distributeurs et autres. Ainsi, Toyota ne se cantonne pas à son passé, mais se veut novatrice, tout particulièrement en matière de conception et de gestion multinationale.

Conclusion

Un nouveau toyotisme pour le début du XXIe siècle

Le modèle industriel toyotien, qui devait, selon Womack *et al.* [1992], marquer le XXIe siècle est en train d'être dépassé par Toyota elle-même. Certes, on pourrait penser que ce n'est qu'une phase de l'évolution du toyotisme comme celles observées dans le passé.

Si on se limite à l'observation de l'atelier ou à l'évolution technologique de la ligne de montage, il semblerait qu'il n'y ait pas de différence substantielle dans la qualité du travail à la chaîne. Si l'on ignore les changements intervenus dans la gestion de la production, du travail, des relations salariales et surtout de l'efficience productive, une visite d'usine, même à TMK, peut donner cette impression. Les opérateurs travaillent toujours à la chaîne même si leur tâche est devenue moins pénible grâce à des mesures ergonomiques, si la ligne de montage a été découpée en tronçons et si l'espace à l'intérieur de l'usine a été rendu plus confortable. Les nouvelles usines ne font pas de rupture avec le travail à la chaîne, à la différence du modèle suédois d'Uddevalla où des équipes de deux à dix opérateurs montent des voitures en station fixe, selon un temps de cycle long, d'une manière intégrée mais à l'aide d'équipements modernes. Par conséquent, on pourrait penser qu'en matière de travail à la chaîne, même le nouveau modèle toyotien ne dépasse pas encore le modèle fordien, car l'humanisation du travail chez Toyota n'est pas encore très marquée.

Mais, si on analyse l'essentiel du toyotisme, force est de conclure que ce qui se passe dans la dernière décennie du XXe siècle n'est certainement pas la prolongation du toyotisme de jadis. En effet, le SPT ne peut pas se réduire à de simples techniques d'organisation de la production et du travail telles que le JAT et l'autonomisation, si novatrices qu'elles aient été hier par rapport au fordisme. Non seulement il ne se met pas en œuvre sans ses composantes complémentaires, relations industrielles, réseaux de fournisseurs, de concessionnaires et système de commande-production. Plus encore, il n'est ni performant, ni dynamique, sans la gestion du prix de revient et de l'efficience productive. La quintessence du toyotisme est là : le SPT réduit le prix de revient et augmente l'efficience productive. C'est cette gestion de l'efficience productive qui a été remise en cause et modifiée, puisque la direction donne plus d'autonomie aux ateliers en matière d'activités de *kaïzen*. Modification du système de salaires et rationalisation du système de rémunération de la production symbolisent le sérieux de l'autoréorganisation du modèle industriel. Jadis, l'objectif du management était pointé vers le toujours plus de l'efficience productive, il est désormais orienté vers la symbiose de l'efficience productive et de l'humanisation du travail.

Ce nouveau Toyota n'est pas en rupture avec le toyotisme. La production juste-à-temps est toujours mise en œuvre, bien que son application rigide ait été abandonnée. L'idée de l'autonomisation s'est étendue pour couvrir le travail en équipe en donnant plus de responsabilité et plus d'autonomie à l'équipe de travail. La gestion unilatérale et autoritaire du prix de revient est remplacée par une gestion plus autonome à l'initiative des ateliers, mais l'ossature du SPT est conservée : les ingénieurs dans la conception font des efforts pour réduire les coûts de production suivant la planification du prix de revient ; les ateliers essaient d'élever leur efficience productive et de baisser les coûts variables en faisant du *kaïzen*. De même, la gestion des ressources humaines est devenue moins contraignante et plus raisonnable, donnant aux salariés une formation systématique et une image claire de leur carrière professionnelle. L'objectif est le même, mais la manière de l'atteindre a changé. D'où le terme de « nouveau toyotisme ».

Taylorisme, fordisme et toyotisme

Les critiques du toyotisme avaient tendance à le considérer comme une des variétés du taylorisme ou du fordisme. Le travail organisé en tâches standards et opérations répétitives et parcellisées avec un temps de cycle court en constituerait autant de signes, bien qu'on concède une originalité au toyotisme dans sa gestion des ressources humaines.

Or, la tâche standard n'est pas imposée chez Toyota par le bureau des méthodes qui surplombe l'atelier, mais par les chefs d'équipe qui sont d'anciens opérateurs. Que la plupart des opérateurs soient promus tôt ou tard comme agents d'encadrement, soit *hanchô* ou EX (expert) soit *kumichô* ou SX (expert supérieur), ou que les agents d'encadrement au-dessous du chef de sous-section (*kochô*) soient élus par les opérateurs, voilà qui déplace la problématique du pouvoir chère au taylorisme. Pour Frederick Winslow Taylor, l'atelier devait être géré par le bureau des méthodes, et non pas par le chef d'atelier ni par les contremaîtres. Dans le toyotisme, ce sont « ces gens-là » qui gèrent l'atelier, bien que leurs fonctions et activités soient bien encadrées et contrôlées par la direction. De plus, l'atelier fonctionne comme une école des relations industrielles toyotiennes : commençant comme opérateurs, les salariés y apprennent petit à petit les tâches de l'atelier, y compris les méthodes du *kaïzen*, et avec l'avancement au niveau supérieur, des méthodes de gestion de l'atelier et de relations humaines, bien que la sélection soit sévère aux niveaux supérieurs aux chefs d'équipe et équivalents.

Par rapport à la séparation de la conception et de l'exécution, qu'on prend pour le signe du taylorisme, mais qui existait bien avant le taylorisme, le toyotisme est un effort pour inverser cette tendance et tirer partie des ressources humaines, même si ce n'est principalement que pour augmenter l'efficience productive et la qualité des produits. Une telle conscience que le SPT et son essor s'appuient sur les ressources humaines, opérateurs et agents d'encadrement dans l'atelier, conduit la direction à l'humaniser, pour faire face à la crise du travail. Par conséquent, on ne peut pas mettre le toyotisme dans le même panier que le taylorisme. Sinon, on ne pourrait pas appréhender les problèmes propres au toyotisme : gestion de l'efficience productive couplée avec la rémunération de la production, opacité du système de *sateï*, activités de relations humaines très contraignantes et qui enserrent les salariés dans l'orbite de l'entreprise.

De même, le toyotisme n'est pas un simple modèle hybride né de l'application du fordisme à un environnement socio-économique différent. Il est plus que cela. Le toyotisme considéré comme production de masse flexible de produits diversifiés et de qualité serait un développement du fordisme pour s'adapter à un marché quasi saturé et diversifié. De fait, sa principale idée, la réduction du prix de revient pour augmenter le profit, est l'inverse du fordisme suivant lequel seul l'effet de volume apporte plus de profit.

En fait, le travail à la chaîne doit-il être supprimé ? Certes, le modèle suédois d'Uddevalla l'a supprimé, et il est séduisant. Mais ce modèle peut-il être applicable à une usine qui monte de quinze à vingt mille voitures par mois ? Si on ne peut pas renoncer à l'efficience réalisée par la production en grande série, on devra sans doute chercher une autre voie vers l'humanisation du travail. Le nouveau toyotisme montre qu'une telle option existe.

Repères bibliographiques

AGLIETTA Michel [1976], *Régulation et crise du capitalisme : l'expérience des États-Unis*, Paris, Calmann-Lévy.

AOKI Masahito [1984], « Giji Tree Kouzô wo tsûjiru Kakusinteki Tekiou » (Adaptation novatrice à travers la structure de quasi-arbre), *Kikam Gendai Keïzai*, Summer.

AOKI Masahiko [1991], *Économie japonaise : Information, motivations et marchandage*, Paris Economica. Éd. orig., *Information, Incentives and Bargaining in the Japanese Economy*, New York, Cambridge University Press, 1988.

AOKI Masahiko et OKUNO Masahiro [1996], *Keïzaï Sisutemu no Hikaku Seïdo Bunseki* (« Analyse institutionnelle comparative des systèmes économiques »), Tokyo, Tokyo University Press.

AOKI Satoshi [1993], *Toyota Ningen Kanri Hôshiki* (« Manière toyotienne de gérer des hommes »), Tokyo, East Press.

ASANUMA Banri [1984a], « Nihon ni okeru Buhin Torihiki no Kôzô : Jidôsha-Sangyô no Jireï », *Keïzai Ronsô*, vol. 133, n° 3.

ASANUMA Banri [1984b], « Jidôsha-Sangyô ni okeru Buhin Torihiki no Kôzô : Tchôseï to Kakusin-teki Tekiô no Mekanisumu », *Kikan Gendaï Keïzai*, n° 58. Éd. orig., « The Organization of Parts Purchases in the Japanese Automotive Industry », *Japanese Economic Studies*, été 1985.

ASANUMA Banri [1997], *Nihon no Kigyô Sosiki : Kakusin-teki Tekiô no Mekanisumu* (« Organisation de l'entreprise japonaise : mécanisme de son adaptation novatrice »), Tokyo, Toyo Keïzaï Shinpo-Sha.

BAN Shoji et KIMURA Osamu [1986], « Toyota Jidôsha Seïsan Bumon, Kihon no Tettei to Jyûnanseï no

Kumikomi » (« Principes et flexibilisation [du SPT] dans la division de production de Toyota »), *JMA Production Management*, octobre.

BOYER Robert (éd.) [1986], *Capitalisme fin de siècle*, Paris, PUF.

BOYER Robert et FREYSSENET Michel [1999], *Le monde qui va changer la machine*, Paris, à paraître.

BOYER Robert et ORLEAN André [1991], « Les transformations des conventions salariales entre théorie et histoire », *Revue économique* (numéro spécial « Économie et histoire. Nouvelle approche »), vol. 42, n° 2, mars.

CORIAT Benjamin [1991], *Penser à l'envers*, Paris, Christian Bourgois.

CUSUMANO Michel A. [1985], *The Japanase Automobile Industry : Technology and Management at Nissan and Toyota*, Cambridge (Massachusetts), Havard University Press.

DURAND J.-P., STEWART P. et CASTILLO J.-J. (direction), *L'Avenir du travail à la chaîne. Une comparaison internationale dans l'industrie automobile*, La Découverte, « Recherches », 1998.

FREYSSENET Michel, MAIR Andrew, SHIMIZU Koïchi et VOLPATO Giuseppe (éds.) [1998], *One Best Way ? Trajectories and Industrial Models of the World's Automobile Producers*, Londres, Oxford University Press.

HIROTANI Akira [1983], *Toyota no Shinjitsu* (« Vérité de Toyota »), Tokyo, Diamond Inc.

IMAÏ Masaaki [1992], *Kaïzen*, Paris, Eyrolles.

ISHIDA Mitsuo, HUJIMURA Hiroshi, HISAMOTO Norio et MATSUMURA Humito [1997], *Nihon no Lihn Seïsan Hôshiki* (« Lean Production au Japon »), Tokyo, Tchûô-Keïzaï-Sha.

ITAMI Hiroyuki [1988], « Mieru Te niyoru Kyôsô : Buhin Kyokyu Taïseï no Kôritsuseï » (« Concurrence par la main visible : efficacité du système de fourniture des pièces »), dans ITAMI H., KAGONO T., KOBAYASHI T., SAKAKIBARA K., ITO M. et KYOSO TO KAKUSIN : *Jidôsha Sangyô no Kigyô Seïtchô* (« Concurrence et innovation : développement des entreprises dans l'industrie automobile »), Tokyo, Toyo Keïzaï Shinpo-Sha.

KAMATA Satoshi [1973], *Jidôsha Zetsubô Koujyô* (« Usine du désespoir »), Tokyo, Kôdansha Bunko, 1983.

KOÏKE Kazuo [1991], *Shigoto no Keïzaïgaku* (« Économie du travail »), Tokyo, Tôyô-Keïzaï.

LECLER Yveline [1993], *La Référence japonaise : partenariat Industriel*, Limonest, Interdisciplinaire.

MIZUSAWA Keï [1993], *Toyota Zetsubô Seïrusu* (« Activités de ventes désespérées des concessionnaires de Toyota »), Tokyo, San-Itchi Shobô.

MONDEN Yasuhiro [1983], *Toyota Production System*, Atlanta, Institut of Industrial Engineering and Management.

MONDEN Yasuhiro [1986], *Toyota no Genba Kanri* (« Gestion de l'atelier chez Toyota »), Tokyo, Nihon Nôritsu Kyôkaï.

MONDEN Yasuhiro [1991], *Toyota no Keïeï System* (« Système de gestion de Toyota »), Tokyo, Nihon Nôritsu Kyôkaï.

NEMOTO Masao [1983], *TQC to Toppu Bu-, Ka-chô no Yakuwari* (« Rôle des directeurs et des chefs de section dans le contrôle de qualité total »), Tokyo, Nikka Giren Shuppan-Sha.

NEMOTO Masao [1992], *Toppu Bu-, Ka-chô no tameno TQC Seïkô Hiketsu* (« Savoir-faire pour que les directeurs et les chefs de section réussissent dans le TQC »), Tokyo, Nikka Giren Shuppan-Sha.

NIKKAN Jidosha Shinbun [1997], *Jidôsha Sangyô Handbook* (« Manuel de l'industrie automobile »), Tokyo, Nikkan Jidôsha Shinbun.

NOMURA Masami [1993], *Toyotizumu*, Kyoto, Mineruva Shobô.

OGAWA Eïji (éd.) [1994], *Toyota Seïsan Hôshiki no Kenkyû* (« Études sur le système de production de Toyota »), Tokyo, Nihon Keïzaï Shinbun-Sha.

OHNO Taïichi [1990], *L'esprit Toyota*, Paris, Masson. Éd. orig., *Toyota Seïsan Hôshiki*, Tokyo, Diamond Inc., 1978.

OKUMURA Hiroshi [1993], *Nihon no Roku-Daï Kigyô-Shûdan* (« Six grands groupes d'entreprises au Japon »), Tokyo, Asahi-Bunko.

SAKAKIBARA Kiyonori [1988], « Seïhin Senryaku no Zentaïseï » (« Totalité de la stratégie des produits »), dans ITAMI H., KAGONO T., KOBAYASHI T., SAKAKIBARA K., ITO M., KYÔSÔ TO KAKUSIN : *Jidôsha Sangyô no Kigyô Seïtchô* (« Concurrence et innovation : développement des entreprises dans l'industrie automobile »), Tokyo, Tôyô Keïzaï Shinpô-Sha.

SANDBERG Åke [1995], *Enriching Production*, Aldershot, Avebury.

SATO Yoshinobu [1988], *Toyota Gurûpu no Senryaku to Jisshô Bunseki* (« Analyse empirique des stratégies du groupe Toyota »), Hakutô-Shobô.

SEÏKE Akitoshi [1995], *Nihon-gata Soshiki-Kankeï no Management* (« Gestion des relations entre des organisations au Japon »), Tokyo, Hakutô Shob.

SHIOJI Hiromi [1987], « Keïretsu Buhin Meïkâ no Seïsan-, Shihon Renkan » (« Relations productives et de capitaux des fournisseurs organisés en

Keïretsu »), dans K. SAKAMOTO et M. SHIMOTANI (éds.), *Gendaï Nihon no Kigyô Gurûpu* (« Groupes d'entreprises au Japon contemporain »), Tokyo, Tôyô Keïzaï Shinpô-Sha.

SHIMIZU Koïchi [1995], « Humanization of the Production System and Work at Toyota Motor Co and Toyota Motor Kyushu », dans SANDBERG Å (éd.), *Enriching Production*, Aldershot, Avebury.

SUZUKI Naoji [1991], *Amerika Shakaï no nakano Nikkeï Kigyô* (« Firmes japonaises dans la société américaine »), Tokyo, Toyo Keïzaï Shinpô-Sha.

SYNDICAT DE TOYOTA [1987], *Shin-no Yutakasa-wo Motomete : 40 Nen no Ayumi* (« Histoire des premiers quarante ans »), Toyota.

TANAKA Hirohide [1982a], « Nihon-teki Kankô wo Kizuita Hitotatchi : K. Yamamoto Shi ni Kiku, II » (« Personnes qui ont contribué à établir des relations industrielles japonaises : interview auprès de Mr. K. Yamamoto [ex-directeur de la division de gestion du personnel de Toyota] »), *Nihon Rôdô Kyôkaï Zasshi*, nº 280.

TANAKA Hirohide [1982b], « Nihon-teki Kanko wo Kizuita Hitotatchi : K. Yamamoto shi ni Kiku, III », *Nihon Rôdô KyôkaÏ Zasshi*, nº 281.

TANAKA Takao [1992], « Toyota no Genka-Kikaku to Kaïzen Yosan » (« Planification du prix de revient et budget de kaïzen »), dans TANAKA T. (éd.), *Gendaï no Kanri-Kaikeï Sisutemu* (« Systèmes comptables contemporains »), Tokyo, Tchûô-Keïzaï-Sha.

TOYOTA [1958], *Toyota Jidôsha 20 Nen Shi* (« Histoire des premiers vingt ans »), Toyota.

TOYOTA [1987], *Toyota Jidôsha 50 Nen Shi* (« Histoire des premiers cinquante ans »), Toyota. Version anglaise raccourcie : *A History of the First 50 Years*, Toyota, 1988.

WOMACK James P., JONES Daniel T. et ROOS Daniel [1992], *Le système qui va changer le monde*, Paris, Dunod ; éd. orig., *The Machine that changed the World*, New York, Macmillan, 1990.

GERPISA
réseau international

Des chercheurs en économie, gestion, histoire et sociologie, travaillant sur l'industrie automobile, ont constitué en 1981 un réseau, le GERPISA (Groupe d'étude et de recherche permanent sur l'industrie et les salariés de l'automobile) à l'initiative de Michel Freyssenet (sociologue CNRS) et Patrick Fridenson (historien EHESS), afin de débattre des résultats de leurs travaux, persuadés qu'ils étaient de la fécondité de l'approche par branche d'activité permettant d'appréhender simultanément processus économiques et processus sociaux et de comprendre les liens entre les niveaux macro et micro de l'histoire.

Au début des années quatre-vingt-dix, ils invitèrent leurs collègues de nombreux pays à vérifier si l'on assistait à la diffusion de la *« lean production »* qui aurait fait le succès des constructeurs japonais, ou bien si plusieurs nouveaux modèles étaient en train de se former, comme ils en avaient le sentiment. Le GERPISA a été transformé en réseau international à cette occasion. Associé au Centre de recherches historiques (CRH), de l'École des hautes-études en sciences sociales (l'EHESS), reconnu comme « équipe d'accueil » par le ministère de l'Éducation nationale et de la Recherche, il est localisé à l'université d'Évry depuis 1992, où il dispose d'un secrétariat et d'un centre documentaire. Il reçoit en outre un soutien financier et matériel complémentaire des constructeurs automobiles français et de leur Comité (CCFA).

Placé sous la responsabilité scientifique de Robert Boyer (économiste, CEPREMAP, CNRS, EHESS) et Michel Freyssenet, et animé par un comité international de 14 membres, le programme « Émergence de nouveaux modèles industriels » a permis, grâce à l'étude des trajectoires, des organisations productives et des relations salariales des firmes et de leurs transplants, de montrer que la *« lean production »* est l'amalgame injustifié de deux modèles industriels complètement différents et qu'il y a eu, qu'il y a aujourd'hui et qu'il y aura probablement demain encore plusieurs modèles industriels performants. Dirigeants et salariés, non seulement ne sont pas contraints d'adopter un *« One best way »*, mais ils ont à construire un « compromis de gouvernement de l'entreprise » sur les moyens leur permettant de mettre en œuvre une des stratégies de profit pertinentes dans l'environnement économique et social qui est le leur. Outre les publications internes au réseau (« Actes du GERPISA », « La Lettre du GERPISA »), plusieurs ouvrages, ayant mobilisé une soixantaine d'auteurs, sont issus directement du programme :

— *One Best Way ? Trajectories and Industrial Models of the World's Automobile Producers*, Freyssenet M., Mair A., Shimizu K., Volpato G. (eds.), Oxford University Press, 1998.

— *Between Adaptation and Innovation. The Transfer and Hybridization of Productive Models in the International Automobile Industry*, Boyer R., Charron E., Jürgens U., Tolliday S. (eds.), Oxford University Press, 1998.

— *L'avenir du travail à la chaîne*, Durand J.-P., Stewart P., Castillo J.-J. (eds.), Paris, La Découverte, 1998.

— *Coping with Variety : Product Variety and Production Organization in the World Automobile Industry*, Chanaron J.-J., Fujimoto T., Lung Y., Raff D. (eds.), à paraître.

Le Monde qui a changé la machine, Boyer R., Freyssenet M., à paraître.

Le présent ouvrage de Koïchi Shimizu sur Toyota et le toyotisme est le développement de sa contribution aux travaux du GERPISA.

Le GERPISA a lancé un deuxième programme international « L'industrie automobile entre mondialisation et régionalisation », placé sous la responsabilité scientifique de Michel Freyssenet et Yannick Lung (économiste, professeur, Bordeaux IV). Il comprenait en 1998, 410 membres répartis dans 27 pays différents. Son Comité international de direction était composé de Robert Boyer (CEPREMAP, CNRS, EHESS, Paris), Juan José Castillo (université Complutense, Madrid), Jean-Jacques Chanaron (CNRS, Lyon), Elsie Charron (CNRS, Paris) Jean-Pierre Durand (université d'Évry), Michel Freyssenet (CNRS, Paris), Patrick Fridenson (EHESS, Paris), Takahiro Fujimoto (université de Tokyo), John Humphrey (université du Sussex), Bruno Jetin (université Paris-XIII), Ulrich Jurgens (WZB, Berlin), Yveline Lecler (Institut d'Asie orientale), Yannick Lung (université de Bordeaux IV), Andrew Mair (Birkbeck College, université de Londres), Jean-Claude Monnet (direction de la Recherche, Renault), Daniel Raff (université de Pennsylvanie), Mario-Sergio Salerno (université de Sao Paolo), Koïchi Shimizu (université d'Okayama), Paul Stewart (université de Galles, Cardiff), Steve Tolliday (université de Leeds), Giuseppe Volpato (université Ca' Foscari, Venise).

Toutes les informations souhaitées sur les activités du GERPISA peuvent être obtenues en contactant :

GERPISA réseau international. Université d'Évry-Val d'Essonne
4, boulevard François-Mitterand, 91025 Évry Cedex, France
Téléphone : 33 (1) 69 47 70 23 – Télécopie 33 (1) 69 47 70 07
Courrier électronique : contact@gerpisa.univ-evry.fr
Serveur : http//www.gerpisa.univ-evry.fr

Table

Introduction 3

I / Le toyotisme : un compromis salarial, des dispositifs organisationnels 5

De la lutte à la construction de la confiance réciproque 5
La crise financière 1949-1950, le grand conflit social de 1950 6
Comment la direction apprivoisa le syndicat 8
La « Déclaration commune » de 1962 : un pacte fondateur 9
Rétablissement du pouvoir de direction 12
Le système de production Toyota : une construction progressive 13
Autonomisation et lignes d'Ohno 14
Production juste-à-temps 15
Rôle du *kanban* 16
Les trois exigences du juste-à-temps 19
Les conditions sociales du SPT : acceptation par les salariés et formation de l'encadrement . 20
Le SPT est l'aboutissement d'une longue série de *kaïzen* 22

II / Réduire en permanence le prix de revient par le *kaïzen* 24

Conception du produit et planification du prix de revient 25
Les procédures de fixation du prix de revient 27
« Value engineering » et baisse des prix 28
L'établissement d'un prix de revient de référence . 29
La norme de kaïzen *se décline dans toutes les unités* . 29
Un objectif fixé centralement 30
Économie des matières premières et des pièces ... 31
Le cœur du *kaïzen* : améliorer l'efficience productive 31
Kaïzen *volontaire... ou suscité par l'encadrement ?* . 35
Système de suggestions : des effets largement indirects 35
Les cercles de qualité, une question de ressources et de relations humaines 37
Le moteur de la performance de Toyota 39

III / Organisation du travail et relations industrielles : de fortes complémentarités 41

La division du travail dans l'atelier 41
Tâche standard et cadences de travail 42
Économie de main-d'œuvre et organisation flexible du travail 44
Heures supplémentaires et transferts de main-d'œuvre 47
Rotation des produits, pas seulement des tâches .. 48
Une polyactivité finalement limitée 49
Démythifier les relations industrielles toyotiennes ... 50
Organisation hiérarchique et promotion 50
Un système de salaires original... et complexe 53
Le salaire de base est augmenté au printemps 54
Une rémunération de la production incitant à l'efficience productive 55
Bonus et gratification de retraite 58
Le salaire à l'ancienneté existe-t-il ? 58
Emploi à vie ? 59

Des relations industrielles en synergie avec les méthodes de production 60

IV / Gestion de l'organisation industrielle 62

Le groupe Toyota 62
Le *kigyo-shudan* 63
Sans banque principale 66
Itaku-Seïsan et assembleurs du groupe 66
Gérer les fournisseurs 68
Association Kyoho et « groupe collaborateur » 68
Commande parallèle 70
Participation à la conception et prix d'une pièce . 71
Partage des gains du progrès technique et dynamisme des fournisseurs 73
Gérer les concessionnaires 74
Chaînes de vente et concessionnaires 75
Contrats de distribution 76
Marge bénéficiaire et incitation 77
Ventes et effet en retour sur la conception 77
Système de commande-production 79
Le toyotisme en tant que modèle industriel 81

V / Vers un nouveau toyotisme 82

« Économie de la bulle » et crise du travail 82
Un changement de toutes les composantes de la gestion 85
Modification de la gestion de l'efficience productive 85
Un système de salaire plus raisonnable 87
Évaluer la compétence et la performance 88
Synchroniser formation et carrière des salariés 90
Réduire le recours aux heures supplémentaires 93
Couper la ligne d'assemblage 94
Toyota Motor Kyushu : un terrain d'expérimentation 95
Une formule salariale simple mais incitative 95
Ligne de montage tronçonnée et rotation du travail 97
Une expérience qui fait école 99

Restructurer et dynamiser un système de conception . 99
Véhicules de loisir et écologiques 102
Les sept orientations du nouveau toyotisme 103

Conclusion 106

Un nouveau toyotisme pour le début du XXIe *siècle* .. 106
Taylorisme, fordisme et toyotisme 108

Repères bibliographiques 110

La collection « Repères »
est dirigée par Jean-Paul Piriou
avec Bernard Colasse, Pascal Combemale,
Françoise Dreyfus, Hervé Hamon,
Dominique Merllié et Christophe Prochasson

L'affaire Dreyfus, n° 141, Vincent Duclert.
L'aménagement du territoire, n° 176, Nicole de Montricher.
L'analyse de la conjoncture, n° 90, Jean-Pierre Cling.
L'analyse financière de l'entreprise, n° 153, Bernard Colasse.
L'argumentation dans la communication, n° 204, Philippe Breton.
Les banques, n° 21, Claude J. Simon.
Les bibliothèques, n° 247, Anne-Marie Bertrand.
La Bourse, n° 4, Michel Durand.
Le budget de l'État, n° 33, Maurice Baslé.
Le calcul des coûts dans les organisations, n° 181, Pierre Mévellec.
Le calcul économique, n° 89, Bernard Walliser.
Le capitalisme historique, n° 29, Immanuel Wallerstein.
Les catégories socioprofessionnelles, n° 62, Alain Desrosières et Laurent Thévenot.
Les catholiques en France depuis 1815, n° 219, Denis Pelletier.
Le chômage, n° 22, Jacques Freyssinet.
Les collectivités locales, n° 242, Jacques Hardy.
Le commerce international, n° 65, Michel Rainelli.
Le comportement électoral des Français, n° 41, Colette Ysmal.
La comptabilité anglo-saxonne, n° 201, Peter Walton.
La comptabilité en perspective, n° 119, Michel Capron.
La comptabilité nationale, n° 57, Jean-Paul Piriou.
La concurrence imparfaite, n° 146, Jean Gabszewicz.
Les Constitutions françaises, n° 184, Olivier Le Cour Grandmaison.
Le contrôle de gestion, n° 227, Alain Burlaud, Claude J. Simon.
La Cour des comptes, n° 240, Rémi Pellet.
Coût du travail et emploi, n° 241, J. Gautié.
La décentralisation, n° 44, Xavier Greffe.
La démographie, n° 105, Jacques Vallin.
La dette des tiers mondes, n° 136, Marc Raffinot.
Le développement économique de l'Asie orientale, n° 172, Éric Bouteiller et Michel Fouquin.
Les DOM-TOM, n° 151, Gérard Belorgey et Geneviève Bertrand.
Le droit international humanitaire, n° 196, Patricia Buirette.
Droit de la famille, n° 239, Marie-France Nicolas-Maguin.
Le droit du travail, n° 230, Michèle Bonnechère.
Droit pénal, n° 225, Cécile Barberger.
L'économie britannique depuis 1945, n° 111, Véronique Riches.
L'économie informelle dans le tiers monde, n° 155, Bruno Lautier.
L'économie de l'Afrique, n° 117, Philippe Hugon.
Économie de l'automobile, n° 171, Jean-Jacques Chanaron et Yannick Lung.
L'économie de la culture, n° 192, Françoise Benhamou.

Économie de l'environnement, n° 252, Pierre Bontemps et Gilles Rotillon.

L'économie de la drogue, n° 213, Pierre Kopp.

L'économie des États-Unis, n° 80, Monique Fouet.

L'économie des inégalités, n° 216, Thomas Piketty.

L'économie de l'Italie, n° 175, Giovanni Balcet.

L'économie du Japon, n° 235, Évelyne Dourille-Feer.

L'économie des organisations, n° 86, Claude Menard.

L'économie de la RFA, n° 77, Magali Demotes-Mainard.

L'économie de la réglementation, n° 238, François Lévêque.

L'économie des relations interentreprises, n° 165, Bernard Baudry.

L'économie des services, n° 113, Jean Gadrey.

Économie et écologie, n° 158, Frank-Dominique Vivien.

L'économie française 1998, n° 231, OFCE.

L'économie mondiale 1998, n° 220, CEPII.

L'économie mondiale de l'énergie, n° 88, Jean-Marie Martin.

L'économie mondiale des matières premières, n° 76, Pierre-Noël Giraud.

L'économie néo-classique, n° 73, Bernard Guerrien.

L'économie sociale, n° 148, Claude Vienney.

L'emploi en France, n° 68, Dominique Gambier et Michel Vernières.

Les employés, n° 142, Alain Chenu.

L'ergonomie, n° 43, Maurice de Montmollin.

Les étudiants, n° 195, Olivier Galland et Marco Oberti.

L'Europe politique, n° 190, Guillaume Courty et Guillaume Devin.

L'Europe sociale, n° 147, Daniel Lenoir.

La faim dans le monde, n° 100, Sophie Bessis.

Le FMI, n° 133, Patrick Lenain.

La fonction publique, n° 189, Luc Rouban.

La formation professionnelle continue, n° 28, Claude Dubar.

La France face à la mondialisation, n° 248, Anton Brender.

Les grandes économies européennes, n° 256, Jacques Marier.

Histoire de l'administration, n° 177, Yves Thomas.

Histoire de l'Algérie coloniale, 1830-1954, n° 102, Benjamin Stora.

Histoire de l'Algérie depuis l'indépendance, n° 140, Benjamin Stora.

Histoire de l'Europe monétaire, n° 250, Jean-Pierre Patat.

Histoire de la guerre d'Algérie, 1954-1962, n° 115, Benjamin Stora.

Histoire des idées politiques en France au XIXe siècle, n° 243, Jérôme Grondeux.

Histoire des idées socialistes, n° 223, Noëlline Castagnez.

Histoire du parti socialiste, n° 222, Jacques Kergoat.

Histoire de la philosophie, n° 95, Christian Ruby.

Histoires du radicalisme, n° 139, Gérard Baal.

Histoire de la sociologie 1 : Avant 1918, n° 109, Charles-Henri Cuin et François Gresle.

Histoire de la sociologie 2 : Depuis 1918, n° 110, Charles-Henri Cuin et François Gresle.

Histoire des théories de la communication, n° 174, Armand et Michèle Mattelart.

Histoire de l'URSS, n° 150, Sabine Dullin.

L'histoire des États-Unis depuis 1945, n° 104, Jacques Portes.

L'histoire en France, n° 84, ouvrage collectif.

L'indice des prix, nº 9, Jean-Paul Piriou.

L'industrie française, nº 85, Michel Husson et Norbert Holcblat.

Inflation et désinflation, nº 48, Pierre Bezbakh.

Introduction à la comptabilité d'entreprise, nº 191, Michel Capron et Michèle Lacombe-Saboly.

Introduction au droit, nº 156, Michèle Bonnechère.

Introduction à l'économie de Marx, nº 114, Pierre Salama et Tran Hai Hac.

Introduction à la microéconomie, nº 106, Gilles Rotillon.

Introduction à la philosophie politique, nº 197, Christian Ruby.

Introduction aux sciences de la communication, nº 245, Daniel Bougnoux.

L'Islam, nº 82, Anne-Marie Delcambre.

Les jeunes, nº 27, Olivier Galland.

Le judaïsme, nº 203, Régine Azria.

La justice en France, nº 116, Dominique Vernier.

Lexique de sciences économiques et sociales, nº 202, Jean-Paul Piriou.

Macroéconomie. Consommation et épargne, nº 215, Patrick Villieu.

Macroéconomie financière, nº 166, Michel Aglietta.

Le management international, nº 237, Isabelle Huault.

Les menaces globales sur l'environnement, nº 91, Sylvie Faucheux et Jean-François Noël.

La méthode en sociologie, nº 194, Jean-Claude Combessie.

Les méthodes en sociologie : l'observation, nº 234, Henri Peretz.

Méthodologie de l'investissement dans l'entreprise, nº 123, Daniel Fixari.

Les métiers de l'hôpital, nº 218, Christian Chevandier.

La mobilité sociale, nº 99, Dominique Merllié et Jean Prévot.

Le modèle japonais de gestion, nº 121, Annick Bourguignon.

La modernisation des entreprises, nº 152, Danièle Linhart.

La mondialisation de l'économie :
1. Genèse, nº 198, Jacques Adda.
2. Problèmes, nº 199, Jacques Adda.

La monnaie et ses mécanismes, nº 70, Monique Béziade.

Les multinationales globales, nº 187, Wladimir Andreff.

La notion de culture dans les sciences sociales, nº 205, Denys Cuche.

La nouvelle économie chinoise, nº 144, Françoise Lemoine.

Nouvelle histoire économique de la France contemporaine :
1. L'économie préindustrielle (1750-1840), nº 125, Jean-Pierre Daviet.
2. L'industrialisation (1830-1914), nº 78, Patrick Verley.
3. L'économie libérale à l'épreuve (1914-1918), nº 232, Alain Leménorel.
4. L'économie ouverte (1948-1990), nº 79, André Gueslin.

La nouvelle microéconomie, nº 126, Pierre Cahuc.

La nouvelle théorie du commerce international, nº 211, Michel Rainelli.

Les nouvelles théories de la croissance, nº 161, Dominique Guellec et Pierre Ralle.

Les nouvelles théories du marché du travail, nº 107, Anne Perrot.

L'ONU, nº 145, Maurice Bertrand.

L'Organisation mondiale du commerce, nº 193, Michel Rainelli.

Les outils de la décision stratégique
1 : Avant 1980, nº 162, José Allouche et Géraldine Schmidt.
2 : Depuis 1980, nº 163, José Allouche et Géraldine Schmidt.

Le patrimoine des Français, nº 81, André Babeau.

Les personnes âgées, nº 224, Pascal Pochet.

La philosophie de Marx, nº 124, Étienne Balibar.

Pierre Mendès France, nº 157, Jean-Louis Rizzo.

La politique de l'emploi, nº 228, DARES.

La politique financière de l'entreprise, nº 183, Christian Pierrat.

La population française, nº 75, Jacques Vallin.

La population mondiale, nº 45, Jacques Vallin.

La presse quotidienne, nº 188, Jean-Marie Charon.

La protection sociale, nº 72, Numa Murard.

La psychanalyse, nº 168, Catherine Desprats-Péquignot.

La publicité, nº 83, Armand Mattelart.

La question nationale au XIXe siècle, nº 214, Patrick Cabanel.

Le régime de Vichy, nº 206, Marc Olivier Baruch.

Le régime politique de la Ve République, nº 253, Bastien François.

Les régimes politiques, nº 244, Arlette Heymann-Doat.

La responsabilité administrative, nº 185, Jean-Pierre Dubois.

Le revenu minimum garanti, nº 98, Chantal Euzéby.

Les revenus en France, nº 69, Yves Chassard et Pierre Concialdi.

La santé des Français, nº 261, Haut Comité à la santé publique.

La science économique en France, nº 74, ouvrage collectif.

Les sciences de l'éducation, nº 129, Éric Plaisance et Gérard Vergnaud.

La sexualité en France, nº 221, Maryse Jaspard.

La sociologie de Durkheim, nº 154, Philippe Steiner.

Sociologie de l'éducation, nº 169, Marlaine Cacouault et Françoise Œuvrard.

Sociologie de l'emploi, nº 132, Margaret Maruani et Emmanuèle Reynaud.

Sociologie des mouvements sociaux, nº 207, Erik Neveu.

La sociologie de Norbert Elias, nº 233, Nathalie Heinich.

Sociologie des organisations, nº 249, Lusin Bagla-Gökalp.

Sociologie des relations professionnelles, nº 186, Michel Lallement.

La sociologie de Marx, nº 173, Jean-Pierre Durand.

La sociologie du chômage, nº 179, Didier Demazière.

Sociologie du sport, nº 164, Jacques Defrance.

La sociologie en France, nº 64, ouvrage collectif.

Sociologie des entreprises, nº 210, Christian Thuderoz.

Sociologie historique du politique, nº 209, Yves Déloye.

Les sondages d'opinion, nº 38, Hélène Meynaud et Denis Duclos.

Les stratégies des ressources humaines, nº 137, Bernard Gazier.

Le syndicalisme en France depuis 1945, nº 143, René Mouriaux.

Le syndicalisme enseignant, nº 212, Bertrand Geay.

Le système éducatif, nº 131, Maria Vasconcellos.

Le système monétaire international, nº 97, Michel Lelart.

Les taux de change, nº 103, Dominique Plihon.

Les taux d'intérêts, nº 251, A. Benassy-Quéré, L. Boone et V. Coudert.

La télévision, nº 49, Alain Le Diberder, Nathalie Coste-Cerdan.

Les tests d'intelligence, nº 229, Michel Huteau et Jacques Lautrey.

La théorie de la décision, nº 120, Robert Kast.

Les théories de la monnaie, nº 226, Anne Lavigne et Jean-Paul Pollin.

Les théories des crises économiques, nº 56, Bernard Rosier.

Les théories du salaire, nº 138, Bénédicte Reynaud.

Les théories économiques du développement, nº 108, Elsa Assidon.

Les théories sociologiques de la famille, nº 236, Catherine Cicchelli-Pugeault et Vincenzo Cicchelli.

Le tiers monde, nº 53, Henri Rouillé d'Orfeuil.

Les travailleurs sociaux, nº 23, Jacques Ion et Jean-Paul Tricart.

L'Union européenne, nº 170, Jacques Léonard et Christian Hen.

L'urbanisme, nº 96, Jean-François Tribillon.

Collection « Guides Repères »

L'art du stage en entreprise, Michel Villette.

L'art de la thèse, *Comment préparer et rédiger une thèse de doctorat, un mémoire de DEA ou de maîtrise ou tout autre travail universitaire*, Michel Beaud.

Guide de l'enquête de terrain, Stéphane Beaud, Florence Weber.

Voir, comprendre, analyser les images, Laurent Gervereau.

Collection « Dictionnaires Repères »

Dictionnaire de gestion, Élie Cohen.

Dictionnaire d'analyse économique, *microéconomie, macroéconomie, théorie des jeux, etc.*, Bernard Guerrien.

Le clou qui dépasse

Récit du Japon d'en bas

Préface inédite de l'auteur

Que fait-on devant un clou qui dépasse ? On lui tape dessus. C'est aussi ce que l'on fait à un individu pour le faire entrer dans le rang. Cette image, très populaire au Japon, est le symbole de la société apparemment lisse de ce pays. C'est cette face cachée du Japon moderne que nous révèle ce livre, récit d'une expérience hors du commun.

André L'Hénoret, prêtre-ouvrier, a séjourné pendant vingt ans au Japon et a travaillé dans une petite entreprise de sous-traitance de Tokyo. Grâce à sa parfaite connaissance de la langue japonaise et à sa volonté de partager la condition ouvrière sans bénéficier d'aucun privilège, il s'est intégré parmi les plus exploités, contraints pour survivre de travailler souvent la nuit, les jours fériés, dans l'insécurité, pour contribuer au « miracle japonais ».

« Voici un témoignage unique sur la vie dans les couches inférieures de la structure économique japonaise. L'auteur est un prêtre-ouvrier qui nous ouvre les pages du journal qu'il a tenu pendant les vingt dernières années, passées à travailler — et à lutter — au cœur de la machine nippone. »

LA TRIBUNE DESFOSSÉS

« Avec ce livre, nos idées reçues sur un Japon inhumain et hypertechnologique sont corrigées par une chronique qui nous montre un monde du travail harassant, où l'humanité et la générosité sont pourtant très présentes. »

LA CROIX

« Rarement le mot "témoignage" fut plus adéquat : le livre d'André L'Hénoret, prêtre-ouvrier du Prado, qui a séjourné vingt ans au Japon, est un témoignage indissociable d'un message chrétien d'espoir, mais aussi un témoignage irremplaçable sur une réalité que non seulement les étrangers mais même les Japonais connaissent mal : la vie ouvrière. »

LE MONDE

La Découverte/poche — 175 p. — 48 F

Dans la collection Repères

Évelyne Dourille-Feer
L'économie du Japon

À partir de l'ère Meiji, à la fin du XIXe siècle, le Japon a pris avec succès le tournant industriel ; il s'est ensuite relevé rapidement après la défaite de 1945 et est devenu la deuxième puissance économique mondiale au début des années quatre-vingt-dix. Mais depuis, l'internationalisation croissante du Japon, les fluctuations du yen par rapport au dollar et l'émergence de nouveaux concurrents semblent avoir déstabilisé l'économie japonaise.

Les difficultés et l'incertitude conjoncturelles de la fin du siècle témoignent des problèmes structurels d'un Japon confronté à un vieillissement de la population, mais qui dispose de deux atouts essentiels : il est situé au cœur de la zone la plus dynamique de la planète et peut compter sur la puissance des impressionnants réseaux industriels, commerciaux et financiers qu'il a constitués au cours des trente dernières années.

Évelyne Dourille-Feer, docteur en sciences économiques, ancienne étudiante de l'université de Keïo à Tokyo, diplômée des Langues orientales en japonais, spécialiste reconnue de l'économie japonaise, est économiste au CEPII et chargée de cours à l'INALCO.

128 p. — 49 F

Dans la collection Repères

Jean-Jacques Chanaron, Yannick Lung
Économie de l'automobile

Ce livre retrace les principales mutations qu'a connues l'industrie automobile au cours des vingt dernières années, dans leurs différentes dimensions :

- changements technologiques au niveau du produit et des procédés (automatisation, informatisation) ;
- transformations des formes du rapport salarial (qualification et implication des travailleurs, détermination du salaire, rôle des syndicats, etc.) ;
- globalisation du marché (internationalisation des constructeurs japonais, ouverture à l'Est et au Sud, perspectives en Asie, etc.) ;
- remise en cause des principes d'organisation industrielle avec l'introduction des méthodes japonaises au niveau des modes de fabrication (qualité totale, maintenance préventive, etc.), des relations constructeurs-fournisseurs (partenariat), de la conception des produits (ingénierie simultanée), etc.

L'ouvrage n'est pas seulement descriptif. Il illustre et utilise les développements récents de l'économie industrielle et de l'économie de l'innovation.

Jean-Jacques Chanaron est directeur de recherche au CNRS au sein de l'équipe « Économie des changements technologiques » à Lyon.

Yannick Lung est professeur à l'université Bordeaux-I et directeur-adjoint de l'Institut d'économie régionale du Sud-Ouest.

Spécialistes de l'économie industrielle et de l'innovation, ils sont membres du GERPISA-réseau international (Groupe d'études et de recherche permanent sur l'industrie et les salariés de l'automobile).

Composition Facompo, Lisieux (Calvados)
Achevé d'imprimer en décembre 1998
sur les presses de l'imprimerie Carlo Descamps,
Condé-sur-l'Escaut (Nord)
Dépôt légal : janvier 1999